P9-DIG-806

华胥引

唐七公子

HUAXUYIN

上

点一盏灯听一夜孤笛声 等一个人等得流年二三四轮
风吹过重门深庭院幽冷 一纸红笺约下累世缘分

湖南文艺出版社
HUNAN LITERATURE AND ART PUBLISHING HOUSE

博集天卷
CS-BOOKY

唐七公子

点一盏灯听一夜孤笛声

等一个人等得流年三四轮

风吹过重门深庭院幽冷

一纸红笺约下累世缘分

史书翻过这一页记忆封存

鸳鸯锦绘下这一段孤独浮生

一世长安的誓言谁还在等

谁太认真

梦一场她城下作画

描一幅山水人家

雪纷纷下葬了千层塔

生死隔断寂寞天涯

梦一场她起弦风雅

奏一段白头韶华

雪纷纷下葬了千层塔

似镜中月华他不知真假

CHUTAIXUIYIINI

煮一壶茶折一枝白梅花
撑一把青伞冷冷雨落下
香桃木开满坟前惹风沙
谁的思念在石碑上发芽

梦一场她城下作画
描一幅山水人家
雪纷纷下葬了千层塔
生死隔断寂寞天涯

梦一场她起弦风雅
奏一段白头韶华
雪纷纷下葬了千层塔
似镜中月华他不知真假

长安的誓言啊史书未写下

目录

II

目录 III

《列子·黄帝》的记载中，黄帝忧于国家动乱，遂"昼寝而梦，游于华胥氏之国"，于梦中见到了自己的理想之国，等醒来便以此治国，海清河晏，天下大治，而后黄帝以梦中所见，谱成一曲，即名《华胥引》，传说若三段齐奏，则颠倒迷离，见众生万象，偿一切所愿——唐七公子此书，此名大概便出典于此。

　　由此可见，唐七公子卓越的想象力之下，所依托的并不是凭空捏造想象，而是极其深厚的古典文学素养，这是现今作者大部分都缺乏，但是于写作上很重要乃至于必需的专业素养。

　　作者在《华胥引》书中之章节段落的引名如"国破""浮生尽""一世安"等，都精练而颇具想象力，几乎都可以成为一个歌名来发挥，由此延展出具备中国古风的歌曲。还有其描景写物之用字遣词如画笔，时而如羊毫软宣，勾写婉约旖旎，哀感顽艳不可方物，时而是狼毫重墨，写家国历史浓墨重彩。一行一段的每一个描绘都极具画面感，再加上角色塑造之传神，勾勒人物性情之逼真，故事情节之环环相扣、引人入胜，让读者几乎觉得自己不是在看一本书，而是在看一场纸面上的电影，使读者在文字阅读行进间，仿佛观看了一幕幕影像化的历史剧。对我来说，《华胥引》是一本会摆放在书桌上、台灯边的小说，会在看完之后一次次地信手翻来，随意展开一页，都是一篇影像化的文字！

或许，只有透过死的过程，才能找到生的意义。或许，历史就是需要从时间流逝中，才能找到拥有的价值。在 2012 末日传说前，唐七公子的《华胥引》给了女主角一个新生的机会。女主角从死亡开始，在波澜壮阔的历史背景下，牵引出一段一段玄妙的故事，借着一个可以让人梦想成真的秘术，展开了她的冒险！华胥引弹起的时候，弹奏者和祈愿者就会一起沉入秘术编织成的梦境中。梦境里误会可以解释，错误可以挽回，想说的话终于能说出来，想要的邂逅可以不必错过，于是皆大欢喜人人幸福，代价是一条命，从此沉溺在那个幸福的梦里。换了是你，你要不要？ 你有没有什么错误要拿生命去换？ 没有的话，恭喜你，不犯错，不伤人不伤己。有的话也恭喜你，并不是谁都会拿生命去换犯的错，也不是犯了错的人都想拿生命去换。肯去换，还有救。

也或许不要以自身利益的角度，人才会公道地看待世事。

这本书，要你经历的就是放下自我，拥抱全新的可能。

我很少为人写序，因为我知道我不够资格。在文学创作里，我只不过是一个阅读者和小学生，在我眼里能写出一篇感人的文章和故事都是一件非凡的成就，我羡慕有这样才华与能力的人，我很乐意被他们引导入一篇一篇动人的故事与文章里。如果要我说出读后感，我可以滔滔不绝地说着，但是要我写序，那就太为难我了。但是这回有一点不一样，因为计划着退休后开始多写一些文字，而结识了一些出版社，因此有机缘抢先看到唐七公子的新作《华胥引》，因为在别人之前阅读了，所以也忍不住先说了阅读心得。

　　之前我从未看过唐七公子的作品，只在一些评论里，看到有人对她有如下的评价：唐七公子文风流畅，情节跌宕，擅长用幽默的语言述说令人心伤的故事，感动无数痴情男女，被誉为虐心女王。现在因为好奇所以看完了《华胥引》，果然名不虚传！在她的故事里有着接近电影的画面感，就算这是一则古老的故事，却有着科幻小说的情节。小说里的角色与情感似古似今得跨越了时空的界限，于是在阅读起来更是天马行空的想象。看完了《华胥引》后，我对唐七公子本人也有了读者角度上的好奇，透过出版社的安排有机会跟她通了电话。电话那头的女子年轻而清脆的声音，跟我预期是一位深沉的作者完全不同。我特别好奇地问她是否看过《盗梦空间》这部电影，她笑着回答说：看过这篇小说的人都这么问过她，她的确看过这部电影，但是在写完这篇小说以后，这点更让我对她的想象力佩服不已。

我想也只有在笔耕的世界里的人，借由一支笔才能翱翔在这样充满创意的空间，如同哈利·波特骑上了他那把扫帚。我衷心地期待她能继续带着喜欢她文笔的人们，往后随着她的笔不断地经历超越时空的旅行。

楔
子

一 殉国的公主

茶楼里的说书先生们，但凡上了点年纪，大约都听过六十七年前发生在卫国王都里的一桩旧事。

那桩事原本是个什么模样，如今已没人说得清。但关于此事的每一段评书，不管过程如何，填充故事的因果始终如一。

因果说，卫国国君早些年得罪了陈国，四年后被陈国逮着一个机会，由陈世子苏誉挂帅亲征，直杀到卫国王城，一举大败卫国。软弱的卫王室选择臣服，卫国最小的公主叶蓁却抵死不从，盛装立在王都城墙上上斥国主、下斥三军，一番痛斥后对着王宫拜了三拜，飞身跳下百丈城墙，以身殉国。

史官写史，将之称为一则传奇，更有后世帝王在史书旁御笔亲批，说卫公主叶蓁显出了卫国最后一点骨气，是烈女子。

六十七年，大晁分分合合、合合分分，当年事隔得太远，百姓们遥想它，已如遥想一段传奇。而叶蓁公主的殉国之举虽感人至深，褪去神圣和风华后，却不如一段风月那样长久令人沉迷。就像在陈卫之战中，最能撩起世人兴致的，始终是她与陈世子苏誉的那段模糊纠葛，尽管谁也不知道那是不是真的。

大晁史书对苏叶二人的牵扯有所着墨，但着墨不多，只记了件小事，说陈世子苏誉在卫国朝堂上受降时，接过卫公呈上的传世玉玺，曾提问卫公道："听闻贵国文昌公主乃当世第一的才女，琴棋书画无一不精，尤其画得一手好山水，卫公曾拿这枚传世玉玺与她作比，不知本宫今日有没有这个荣幸，能请得文昌公主为本宫画一幅扇面？"文昌公主正是以身殉国的叶蓁的封号，取文德昌盛之意。

史书上记载寥寥，当年的知情人在这六十七年的世情辗转中早已化为飞灰，这桩悲壮而传奇的旧事便也跟着尘光掩埋殆尽。民间虽有传说，也不过捞个影子，且不知真假。倘若果真要仔细打点一番这个故事，还得倒退回去，从六十七年前那个春天开始说起。

 国破

六十七年前那个春天，江北大旱，连着半年，不曾蒙老天爷恩宠落下半滴雨。大晁诸侯国之一的卫国虽建在端河之滨，也不过饱上百姓们一口水，地里靠天吃饭的庄稼们无水可饮，全被渴死。不过两季，大卫国便山河疮痍，饿殍遍地，光景惨淡至极。

卫国国君昏庸了大半辈子，被这次天灾一激，头一回从脂粉堆里明白过来，赶紧下令各属地大开粮仓，赈济万民。国君虽在一夕间变做圣明公侯，可长年累下的积弊一时半会儿没法根除，开仓放粮的令旨一道一道传下去，官仓开了，粮食放了，万石的粮食一层一层辗转，到了百姓跟前只剩一口薄粥。百姓们眼巴巴望着官府赏赐的这口粥，不想这口粥果然只得一口，只够见谷玄时不至空着肚皮。

眼看活路断了，百姓们只好就地取材，揭竿而起。出师必得有名，造反的百姓顾不得君民之道，只说，上天久不施雨，乃因卫公无德，犯了天怒，要平息苍天的怒火，必得将无德的卫公赶下王座。

谣言以八百里加急的速度一路传至王都深处，深宫里的国君被这番大逆不道的言论砸得惴惴然，立时于朝堂上令诸臣子共商平反之策。众臣子深谙为官之道，三言两语耍几段花枪再道声我主英明，便算尽了各自的本分。

只有个新接替父辈衣钵的庶吉士做官做得不够火候，老实道："都说雁回山清言宗里的惠一先生有大智慧，若能将先生请出山门，或可有兵不血刃的良策。"清言宗是卫国的国宗，为卫国祈福，护佑卫国的国运，这一代的宗主正是惠一。

大约注定那一年卫国气数将尽，卫公派使者前去国宗相请惠一的那一夜，八十二岁高龄的老宗主咽下了最后一口气，谢世了。惠一辞世前留下个锦囊，锦囊中有一张白纸，八个字圈圈了句大白话，说："会盟方已，大祸东来。"卫公捧着锦囊在书房闷了一宿。房外的侍者半夜打瞌睡，蒙眬中听到房中传来呜咽之声。

惠一掐算得很准，刚过九月九，一衣带水的陈国便挑了个名目大举进犯卫国。名目里说年前诸侯会盟，卫公打猎时弓箭一弯，故意射中陈侯的半片衣角，公然藐视陈侯的君威，羞辱了整个陈国。陈国十万大军携风雨之势来，一路上几乎没遇到什么阻碍，不到两个月，已经列阵在卫国王城之外。

全天下看这场仗犹如看一场笑话，陈侯手下几个不正经的幕僚甚至背地里设了赌局，赌那昏庸的老卫公还能撑得住几时。陈世子苏誉正巧路过，押了枚白玉扇坠儿，摇着扇子道："至多明日午时吧。"

次日正午，懒洋洋的日头窝在云层后，只露出一圈白光，卫国国都犹如一只半悬在空中的蟋蟀罐子。

午时三刻，白色的降旗果然自城头缓缓升起，自大晁皇帝封赐以来，福泽绵延八十六载的卫国，终于在这一年寿终正寝。老国君亲自将苏誉迎入宫中，朝堂上大大小小的宗亲臣属跪了一屋子，都是些圣贤书读得好的臣子，明白时移事易，良禽该当择木而栖。

午后，日头整个隐入云层，一丝光也见不着，久旱的老天爷仿佛一下子开眼，突然洒了几滴雨。陈世子苏誉身着鹤氅裘，手中一柄十二骨纸扇，翩翩然立在朝堂的王座旁，对着呈上国玺的老国君讨文昌公主扇面的一席话，一字一句，同史书记载殊无二致。

不过，苏誉并未求得叶蓁的墨宝，他在卫国的朝堂上对卫公说出那句话时，叶蓁已踏上王城的高墙。苏誉和叶蓁有史可循的第一次相见，在卫国灭亡的那个下午，中间隔着半截生死、百丈高墙。

他甚至来不及看清传闻中的叶蓁长了如何的模样，尽管他听说她为时已久。听说她落地百天时，卫公夜里做梦梦到个疯疯癫癫的长门僧，长门僧断言她虽身在公侯家，却是个命薄的没福之人，王宫里戾气太重，若在此抚养，定然活不过十六岁。

听说卫公听信了长门僧的话，将她自小托在卫国国宗抚养，为了保她平安，发誓十六岁前永不见她。还听说两年前卫公大寿，她作了幅《山居图》呈上给父亲祝寿。列席宾客无不赞叹，卫公大喜。

细雨蒙蒙，苏誉站在城楼下摇起折扇，蓦然想起临出征前王妹苏仪的一番话："传闻卫国的文昌公主长得好，学识也好，是个妙人，哥哥此次出征，旗开得胜时，何不将那文昌公主也一道迎回家中，做妹妹的嫂子？"城墙上，叶蓁曳地的衣袖在风中摇摆，那纤弱的身影突然毫无预兆地踏入虚空，一路急速坠下，像一只白色的大鸟，落地时，白的衣裳，红的血。城楼下的卫国将士痛哭失声。

苏誉看着不远处那摊血，良久，合上扇子淡淡道："以公主之礼，厚葬了吧。"

第一卷

浮生尽

她吻一吻他的眼睛，撑着自己坐起来，捧着他的脸……「我会救你的，就算死，我也会救你的。」

第一章

四月，山中春光大好，消失六个月的君师父终于从山外归来。这意味着，我的前肢和躯干不久就可以拆线了。

六个月来，我一直保持全身缠满纱布的身姿，起初还有兴致晚上飘出去惊吓同门，但不久发现被惊吓过一次的同门普遍难以再被惊吓一次，而我很难判断哪些同门是已被惊吓过的，哪些没有，这直接导致了此项娱乐的命中率越来越低，渐渐令我失去兴致。

两个月后，我已经有些受不了了。

很多同门以为我是受不了每天缠着纱布去药桶里泡四个时辰，其实不然，泡澡有益身心，只是泡完之后还要裹着湿淋淋的纱布等待它自然晾干，令人痛苦非常。这种痛苦随着大气温度的降低而成反比例增长。

后来，我想，所有不世出的英雄在成为英雄的过程中，总是受到他们师父别出心裁的栽培，君师父必是借此锤炼我的毅力和决心。想通此处，即使户外结冰的寒冬腊月，我也咬牙坚持，且从不轻言放弃，哪怕因此伤寒。

坚持了半年，经过反复感染伤寒，我的抗伤寒能力果然得到大幅提升。和君师父一说，他略一思索，回答："啊……我忘了告诉你，澡堂旁边有个火炉可以把你身上的纱布烤干了，哈哈哈……"

君师父是君禹教宗主。君禹教得名于君禹山，君禹山在陈国境内。据说开山立教的祖宗并不姓君，而是姓王，出身穷苦，父母起名王小二。

后来王小二祖宗跟从高人习武，学成后在君禹山上立教，但总是招不到好徒弟。一打听才知道，别人一听说君禹教宗主叫王小二，纷纷以为这是个客栈伙计培训班，招的徒弟学成以后将输送往全国各地客栈从事服务行业。

王小二祖宗迫于无奈，只好请了个附近的教书先生帮他改名。教书先生纵观天下大势，表示慕容、上官、南宫、北堂、东方、西门等大姓均已有教，东郭和南郭这两个姓虽然还没立教，但容易对品牌造成稀释，效果就跟大白鹅麻糖怎么也干不过大白兔麻糖一样。倒不如就地取材，跟着君禹山，就姓君，也可以创造一个复姓，姓君禹。

但考虑创建复姓要去官府备案，手续复杂，不予推荐，还是姓君最好，而且君这个姓一听就很君子，很有气质。王小二一听，心花怒放，从此便改姓君，并听从教书先生建议，将小二两字照古言直译了一下，少双，全名君少双。

王小二化名君少双后，果然招收到大批好弟子，从此将君禹教发扬光大。君师父正是开山祖师君少双的第七代后人。

我从小就认识君师父，那时我还生活在卫国的国宗——清言宗里。我此生的第一任师父——惠一先生也还活得好好的，牙好胃口好，连炒胡豆都咬得动。君师父就带着他儿子住在清言宗外，距雁回山山顶两里处的一间茅草棚中，常来找我师父下棋。

师父带我去山顶看日出时，也会在他的茅棚叨扰一宿。他们家只有一张床，每次我和师父前去叨扰，总是我一个人睡床，他们仨全打地铺。这让我特别喜欢到他们家叨扰，因为此时，我是很不同的。

后来，我将自己这个想法告诉了君玮，君玮就是君师父的儿子。君玮说："可见你骨子里就该是一位公主，只有公主才喜欢与众不同。"但我不能苟同他这个见解，公主不是喜欢与众不同，而是习惯与众不同，最主要的是没有人敢和公主雷同。而习惯和喜欢之间，实在相差太远，这一点在我多年后临死之前，有很深刻的体会。

君玮其实是一个博古通今的人，他精通历朝历代每一个皇帝的所有小老婆，甚至包括微服私访时有了一夜情但没来得及娶回去的。

君玮的看法是，家事影响国事，国事就是天下事，而皇帝的家事，基本上都是小老婆们搞出来的事。其实只要皇帝不娶小老婆那就没事，但这对一个皇帝来说实在太残忍，皇帝觉得不能对自己这么残忍，于是选择了对天下人残忍。

君玮的思路是，和谐了皇帝的小老婆们，就是和谐了全天下，此后，他一生都致力于如何和谐皇帝的小老婆们。

除了这件一生的事业，君玮还有一个兴趣，那就是写小说。但这个兴趣让君师父很不齿，君师父希望他能成为一个享誉一方的剑客，只要他一写小说，就会没收他的稿纸并罚他抄写剑谱。于是他只好把文学和武学结合在一起，在抄写剑谱的过程中进行小说创作。

你会发现经君玮抄过的剑谱总是大为走形，比如他写："每日阳时，她用一双素手脱去一层一层繁复的衣衫，将净瓷般的身体裸露在日光下。那是一处极寒的所在，她坐在一张泛着冷光的寒冰床上，冷，很冷，非常冷，她就那么盘腿坐着，面北背南，将气息运行圆满的一周。她不知道，十丈远的重重冬蔷薇后，正有一双漆黑的眼睛，一寸一寸地抚摸她的肌肤。"

基本上没人想得到这其实是四句剑谱心法"极寒阳时正，独坐寒冰床，裸体面朝北，气行内周寰"。后来，君玮成了小说写得最好的剑客和剑术最高强的小说家。

我因独自长在清言宗，宗里的规定是男人不得留发，全宗两千来号人，除了我以外全是男人，导致整个清言宗只有我一个人留长头发。

这让我在初具性别意识时，很长时间内都以为女人和男人的最大区别在于女人有头发而男人们全是秃头。于是，理所当然，我认为君师父和君玮都是女人，出于同性的惺惺相惜之感，和他们走得很近。

很自然的是，后来我终于明白他们父子俩都是男人，但那种想法已根深蒂固，导致此生我再也无法用男女交往的心态面对君玮，一直把他当成我的姐妹。故事本该是青梅竹马，却被我扭转成了青梅青梅。

三岁时，我在偶然的机缘下得知自己是卫国公主，但对这件事反应平静。主要是以我的智慧，当时根本不知道公主是什么东西。君玮比我大一岁，知道得多些，他说："所谓公主，其实就是一种特权阶层。"我问："特权是什么？"君玮说："就是你想做的事就可以做，不想做的事就可以不做。"听了他的话，当天中午我没有洗碗，晚上也没有洗衣服，结果被师父罚在祠堂里跪到半夜。

从此以后，我彻底忘记了自己是公主这件事。也就是在同一年，师父看我心智已开，正式着手教我琴棋书画。师父的意思是，人生在世，能有个东西寄托情怀总是好的。

如果我能够样样精通，自然最好，算是把我培养成了大家；如果只通其中一样，那也不错，至少是个专家；如果一窍不通，都知道一点，起码是个杂家。我问师父："万一将来我不仅不通，还要怀疑学习这些东西的意义呢？"师父沉吟道："哲学家，好歹也是个家……"

不知为什么，君玮明明没有拜师父为师，却能跟随我一同学习。师父的官方解释是，学术是没有国界不分师门的，君玮私下给我的解释是，他爹送了师父十棵千年老人参。

果然，学术是无国界的，国界是可以被收买的。和君玮一起上课，写字画画还能忍受，但弹琴时就很难受。初学琴时，我和君玮一人一张琴，分坐琴室两端对弹。直接后果是，在我还不懂得何为余音绕梁三日不绝的年纪里，首先明白了何为魔音贯耳腐骨蚀魂。

我们彼此觉得对方弹得奇烂无比，令自己非常痛苦，并致力于制造出更加匪夷所思的声音，好让对方加倍痛苦，以此报复。在我的印象中，琴是凶器，不是乐器。这也是为什么我学会了用琴杀人，却始终学不会用琴救人，完全是君玮留给我的心理阴影。而在我学会杀人之后，想要依靠我的琴音得救的人，全部死去了。

我在十岁的时候捡到一只刚睁眼的虎崽，这只老虎跟随了我一生，最大限度地表现出了一头禽兽的忠诚。虽然回想当年，我和君玮捡它的本意不过是为了把它吃掉。那时正遇上君玮他爹被我师父说动，立志做一个动物保护主义者，并身体力行，搞得君玮三月不知肉味，而我在国宗里鲜少吃肉，正是我们俩对肉最向往的时节。

后来之所以没吃成，完全是因为我们觉得还可以把它再养大一点，这样就能既蒸又煮连炖带炒，说不定还有剩。现在想来，能够忍住欲望没有当场宰掉小黄烤烤吃了，这是一件多么不可思议的事情啊。小黄正是这头老虎的名字，后来经过鉴定，发现它所属的虎种相当名贵。我和君玮都很高兴，觉得可以把它卖掉，这样我们就发财了，但苦于找不到门路，只好不了了之。

等到我们有门路的时候，都已成年，最主要的是纷纷变成了有钱人，不用再拿小黄换钱。这让我们十分感叹，人生大抵如此，发财的道路总是艰辛。

命运安排我每次遇上大事时总是孤身一人，并且必然受伤。师父说："你听过没有，天将降大任于斯人也，必先伤筋动骨……"我能想象上天降到我身上最大的任，莫过于等师父死后继承他的衣钵，成为下一任宗主。但后来君玮把宗规偷出来给我看，宗规里明文规定女人及人妖均不得在国宗内担任要职，从而破灭了我的一个梦想。

很多人在梦想破灭之后迅速堕入歧途。山下就有个刺客因业绩不好而退隐江湖，改行杀猪；还有个书生在科举落第后，改写淫秽小说并兼职画春宫图。但我始终认为做梦和娶妻性质差不多，旧的不去新的不来，并且新的往往比旧的更好，旧梦破碎是因为新梦想即将到来，而这是值得庆贺的事，断然没有理由消沉。

我对君玮表达这个看法，君玮思索一阵，认为有理，下午便去山下安慰刚死了老婆的王木匠，道："你老婆死了是因为即将有新老婆来嫁给你，新老婆肯定比你旧老婆好，这是件大喜事啊，你表现得高兴点，别这么伤心。"结果被王木匠挥舞着扫把撵了半条街。君玮不能理解，且有些受伤，我安慰他："世人都习惯在真相面前表露出狰狞的一面，以掩藏内心的羞涩。"

在宗主梦破灭的那个夜晚，我的做法是，日暮时晃出宗门，前去林中打坐打鸽子，转换心情，寻找灵感，建立新的梦想，重树信心。由此也可以看出，我实在要算一个积极向上之人。

除此之外，这种积极还表现在一些私生活上，比如我一直毫不怀疑，倘若日后自己有一个夫君，他又不幸死在前头，我势必会在他断气当夜就收拾行装出门，前去大千世界寻找新的夫君。

而截至那个夜晚，我受君师父感染，习惯性以为自己将来的夫君必然就是君玮，常常看着活蹦乱跳的他无限忧虑，想着：哎呀，我怎么能在面前这个人刚刚断气时就马上出门寻找第二春啊。

好在该想法只持续到我十四岁时、打算重塑梦想的这个仲夏夜。

关于仲夏夜，有一切美好的词汇可以形容，最切实的说法却往往残忍。据说仲夏夜时毒蛇凶猛，宗里已有三名弟子因在此时节外出而死于蛇祸，望各位弟子引以为戒，各自珍重。

我年纪幼小，总相信自己很特别，断不会重蹈那三个倒霉蛋的覆辙，这趟外出便没有携带雄黄。如今想来，当年死于蛇口的那三个师兄必然也以为自己很特别。人人都以为自己特别，看在他人眼中却无甚特别，看在蛇的眼中就更不特别了。

估计对于毒蛇来说，只有带了雄黄的人才特别。幼时我们总是追求和他人的不同之处，长大却总是追求和他人的共同之处。如果能反过来一下，岂不正好，至少三位师兄的三条小命说不定能就此保住，哪怕成为植物人。而作为同样不带雄黄的人，显然毒蛇对我是很一视同仁的。

一条娇小的白唇竹叶青狠狠在我小腿上咬了一口，毒液通过血液循环往身体各处。我摇晃了一会儿，缓缓倾倒，意识模糊之际，终于领悟了本段落前半部分陈述的道理。接着还回忆了一下那幅画了两天的山中古寺图是否已裱好，回忆完之后觉得生无可恋，可以安息，遂安详地闭上眼睛等死，并再也睁不开了。

就在那时，鞋子倾轧过落叶枯枝的微响由远及近，停在我的身边，一双手臂将我凌空抱起，鼻尖传来清冷梅香。可想象星光璀璨，静夜无声，满山盈谷的，那是二月岭上梅花开。

我醒来时感觉身体内部血液涌动，齐向下腹聚集，手抚上裹肚，阵阵温痛。脚踝处被蛇咬的地方麻木不仁，却贴着一个温软物体，而膝盖弯曲，小腿被某样东西凌空支起，像一根绷紧的皮绳。整体感觉如此古怪，我忍不住要睁开眼睛看看是怎么回事。结果睁眼偏头，却看见要命的场景。环境是山洞一个，石床一张，我躺在这张石床上，而白色月光下，右小腿正被一个男人紧紧握在手中。

他手指修长莹白，从姿势及触感辨别，脚踝处伤口紧贴的正是他的嘴。我的角度只能看到他的侧面，且这侧面还大部分被头发挡住，令人很有一撩他头发的冲动。他没有发现我醒来，一身玄青衣衫，只静静坐在石床侧沿，唇贴着我的脚踝，宽长的袖摆沿着他抬起的我的小腿一路滑下，低头能瞥见衣袖上繁复的同色花纹。

周围物什全都失色，朦胧不可细看，他漆黑的发丝扫我的脚背。可想如果不是这样的场景，一位曼妙少女和一位翩翩公子的相遇，该是像书法大家的草书一样行云流水。而很自然的是，我自以为被人轻薄，顺势便给了他一脚。这一脚踢得太用力，引起连锁反应，身体某个难以言说的部位顿时血流如注。

我和他第一次相见，踢了他一脚，结果踢出我的初潮。

他自然没有被踢到，在我右脚猛然发力前已不动声色后退一步，可见他的身手了得。而我完全没发现他到底是怎么突然从坐姿变为了站姿，可见他的身手着实了得。我眯着眼睛看他，在洞口照进的白月光中，他身姿高大挺拔，一面银色面具从鼻梁上方将半张脸齐额遮住，面具之下嘴唇凉薄，下颌弧线美好。

有片刻的寂静。

他擦拭掉唇上残留的血痕，唇角微微上翘："好厉害的丫头，我救了你，你倒恩将仇报。"

但我被身体的大规模出血惊吓，不能说出什么解释的话，张口便是一阵哇哇大哭，并且在哭泣的过程中，过度使用小腹运气，导致下身渐渐有血污渗透裙子，一层漫过一层，越染越严重。而最令人不能忍受的是，那天我穿的是一条白裙子。他的视线渐渐集中在我的裙子上，顿了半天，道："葵水？"

我抽泣说："谢谢，我不渴，但我可能是得了败血症，马上就要死了。"

他继续关注了会儿我的裙子，咳了一声："你不会死的，你只是来葵水罢了。"

我大为不解："来葵水是什么？"

他犹豫了一下："这件事本该你母亲告诉你。"

我说："哥哥，我没有母亲，你告诉我。"

很难想象，我会从一个完全不认识的陌生男人身上获得关于葵水的全部知识。但更加难以想象倘若由师父他老人家亲口告诉我"所谓葵水，就是指有规律的、周期性的子宫出血……"时，会是什么模样。连苍天都觉得这太难为一个七十九岁的老人家，不得不假他人之口。

他说他叫慕言。当然这不会是他的真名。假如一个人脸上戴着面具，名字必然也要戴上面具，否则就失去了把脸藏起来的意义。

而我告诉他我叫君富贵，则纯粹是担心这人万一是我那从没见过面的爹的仇人，一旦得知我是我爹的女儿，一怒之下将杀人泄愤。历史上有诸多例子，表明很多公主都曾被他们的老子连累送命，再不济也会被连累得嫁一个和想象出入甚大的丈夫，导致一生婚姻不幸。

就这样，我们在山洞里待了四五天，喝的水是洞外的山泉，吃的东西是山泉里野生的各种鱼类。据说我不能立刻回去，因为毒还没有解完。而慕言表示，救人救到底，送佛送到西，半途而废不是他的风格。

我每天需要吃一种药，然后从手腕入刀割个口子，放半杯血。当我放血的时候，慕言一般坐在床前的石案旁抚琴。琴是七弦琴，蚕丝做的弦，拨出饱满的调子，具有镇痛功能。每次慕言弹琴，我总会想起君玮，还有他那令人一听就简直不愿继续在世上苟活的弹琴水平，进而遗憾不能让他来听听面前这位奏出的天籁之音，好叫他羞愤自杀，再也不能贻害世人。

五天里，我一直很想把慕言脸上的面具扒掉，看看面具底下的脸到底长什么样，但一想到结果可能被他砍死，实在不敢轻易造次。这完全是人的好奇心作祟，有时候有些事根本不关你的事，却非要弄一个明白，真是没事找事。

第六天下午，我觉得脚伤已好得差不多，能够直立行走了。慕言撩起我的裤脚端详了会儿，道："是不用继续放血了。明日一早我便送你回去吧。"

没想到分别来得这样迅捷，关键是还没成功扒开他的面具，我一时不能接受，愣在那里。

他说："不想走？"

我摇头说："没有没有，但是，哥哥，你不和我一起走吗？这个山洞没有太多东西，你也不像是要在此处久居。"

他沉吟说："我不走，我得留在这里。"

我说："可你留在这里做什么呢，你一个人，没有人陪你聊天，也没有人听你弹琴。"

他低头拨琴弦："等人，我怕我走了，我要等的人就找不到我了。"

我顿时陷入一种尴尬境地，再问下去仿佛已涉及他人隐私，不问下去一时又找不到话题转移。我说："这个……"

他已从石案前站了起来，笑道："说到就到，今天可真是运气。"

我抬头看，高阔的山洞口，不知什么时候，已站了一堆蒙面的黑衣人。在我看向他们的一刹那，这些人纷纷亮出自己的兵器。拔兵器的动作就像他们的服装一样统一，可以看出这是一个有纪律的团队，难得的是，拔出的兵器也很统一，明晃晃一把把镰刀排得很整齐。

当然，后来我知道这些东西虽然长得像镰刀，其实有一个学名，叫弯刀，一字之差，前者用来割草，后者用来割人头。

我因鲜少下山，没见过世面，被前边一字排开的十几把镰刀威慑，情不自禁往后缩了一下。慕言移步将我挡住，身姿翩翩站在我前面，我担心道："你有家伙没有？"

没等他答话，那十几把镰刀已经发难。他将我一把推开，纵身一跃，玄青色长袍在黑衣白刃之间辗转，我看得眼花缭乱。

他动作快得没谱，我睫毛都不敢动，也只看得清他偶尔一两个动作，比如从后面握住某个黑衣人的手腕，侧身带着那人转半个圈，手上的镰刀就正好割断身后另一个打算砍他一刀的黑衣人的脖子，鲜血飞溅，他还来得及往旁边腾挪几步闪避骤然飞溅的血浆。

不过片刻工夫，在场的十来个黑衣人已被他解决得还剩两三个。最后一个见大势已去，一把镰刀直直朝我飞过来。

师父一生最恨聚众斗殴，从没教过我近身格斗。眼见那刀越飞越快，直取我咽喉，我吓得动都不敢动。这真是最糟糕的状况。可以想象一下，如果这时候我被吓得腿软，一下子支撑不住趴在地上，那刀打着旋儿一路向前飞过我的头顶，我就正好躲过一劫。可偏偏身体太好，即使被这样惊吓，腿都软不了，简直是个活靶子。

正当我以为必死无疑时，一片玄青色突然笼罩而下，就像雨过天晴云破，苍穹从高处压下，我的腿终于软在他这一压之下。

慕言将我搂在怀里，腾空用脚轻轻一踢，那镰刀又打着旋儿回去了，且更快更急。"哧——"刀入肉的声音在静空中响起，扔镰刀的黑衣人难以置信地低头瞧着肚子外头的刀柄，缓缓跪在地上。善恶终有报，天道好轮回，而这位大哥明显是不敢相信天道居然轮回得如此有效率。

一片空死的寂静中，慕言道："真好奇我那个不成才的弟弟平日是怎么教导你们的，如果我是你，在进洞之初就杀了这个小姑娘，先乱了对方的阵脚，还好你最后悟过来了，可也晚了。"肚子插着刀的黑衣人还没死绝，瞳孔越来越大，哆嗦着道："你……"

慕言淡淡道："他以为我什么都不知道？那未免太小看我这个做哥哥的了。"

黑衣人不再说什么，只低下头去，颤巍巍伸出手指，看样子是想把镰刀拔出来。慕言突然用手捂住我的眼睛，洞里传来一阵难以形容的痛吼，我说："他在做什么？"

慕言说："陈国有一个传说，带着兵刃往生的人，来生还得做武人。"

我说："那他是想做个文人？"

慕言放开手："也许他只想做一个贩夫走卒。"

此前很多年，我一直坚信，人不能毫无道理地去做某件事，凡事都要问个为什么。比如说当厨房做了我不爱吃的菜，我就跑去问掌勺的师兄为什么。

为什么今天不做炒土豆丝呢，为什么呢为什么呢为什么呢为什么呢，坚持问上一个时辰，一般来说，第二天我们的饭桌上就会出现炒土豆丝。这件事告诉了我们求知欲的重要性，知之才幸福，不知不幸福。从十四岁到十七岁，其间三年，我多次回忆自己为什么会喜欢上慕言，结论是他在和我毫无关系的情况下，七天之内连救了我两次。

君玮认为我的喜欢不纯粹，只是说着玩玩，而真正的喜欢应该没有理由不问原因。可我觉得理由之于喜欢，就像基石之于楼阁，世上从来没有无须基石的楼阁，也不应该有毫无道理的喜欢。

我对慕言的感情建立在两条性命上，这就是说，这世上除了我的命，再不该有东西比它更加纯粹强大。君玮无法理解我的逻辑，主要是因为他自身没有逻辑。

滴水之恩涌泉相报，涌泉之恩无以为报。东陆的规矩是，无以为报时我们一般以身相许。如果那时我意识到自己情窦初开，在慕言出手相救时就已默默喜欢上他，一定会把自己许配给他。可那个恰好的时刻，在他的手离开我眼睛时，我心如擂鼓，却不知擂鼓的原因。

我问他："你刚才为什么要救我呢？"

他说："你还是个小姑娘，只要是个男人就不能对你见死不救。"

我说："如果我是个大姑娘呢？"

他转身将我拉进洞，笑道："那就更不能不救了。"

我本来有绝佳的机会，但没有把握住，痛苦的是即使失去这个机会我仍一无所知，只是傻傻地看着他微微勾起的唇角，半晌说："哥哥，我没有什么可以报答你，我送你一幅画好吗，我画画画得还可以，你要我给你画幅画吗？"

洞里光线正好，他微微偏头看我："哦？"

偏头的角度和说话的声调都是那样恰到好处。

我顿时被迷惑，忍不住想在他面前表现一番，四处寻找，可恨洞里没有笔墨。虽可取火堆里的木炭做笔，在草纸上画一幅炭笔画，可前几天为了方便，我把所有草纸均裁成了巴掌大小的纸片，勉强能在上面画个鸡蛋，画人就实属困难。

慕言看我在洞里寻找半天，拿着一沓草纸不知所措，大约明白，不知从哪里取来一根木棍，递给我道："用这个吧，若你真想拿一幅画来报答我，画在地上也是一样的。"

我握着木棍研了好一会儿，颤巍巍下笔，但好比一个绣花的绝世高手，即便再绝世也无法用铁杵在布匹上织出花纹，我和她们遭遇了同样的尴尬。

我本意是想画慕言凌空而起徒手撂倒两个黑衣人的英姿，画完后，他端详半天，道："这画的是什么？像是一只猴子跳起来到桃树上摘桃，又像是一头窈窕的狗熊试图直立起来掏蜂窝……"那时我给慕言留下的印象即是如此，可以将猴子摘桃和狗熊爬树画得如出一辙的自以为很会画画的小姑娘。

　　如今我已能用棍子在地上画出栩栩如生的人像，却始终没有办法再找到慕言修正他对我的印象。君玮说："也许他觉得你画出一个东西，能够像任何一个东西，这很有才华呢。"

　　君玮能有此种想法，说明他已是一个剑客的思维，而画画和使剑的不同之处就在于，若使剑，你使出一招，在众人看来可以是任何一招，这就是绝世的一招剑术。而画画，你画出一个东西，在众人看来可以是任何一个东西，这幅画就卖不出去。

　　我和慕言受命运指使，在一起待了将近六天。第六天夜里，我入睡后，他离开了山洞。我独自一人在洞里等了四天，但他没有再回来。四天后我不得不离开，主要是仲夏时分，尸首不易保存，洞口颠三倒四横着的黑衣人纷纷腐烂，招来很多苍蝇，将人居环境搞得很恶劣。

　　如果我和他相遇在冬天，在我懵懂不知世事的这个年纪，必然就此等下去，直到我将为什么要等他的理由想通。想通了就更有理由等下去，直到有一天他来，或者他永远不来，但那是另一段故事了。

　　而事实上，我带着些微惆怅很早离开，离开时我以为自己等他四天只是为了和他正式道个别。显然，这是一个太过纯洁的想法，我早早解放了自己的心灵爱上慕言，却没能同时解放自己的心智认识到自己爱上了慕言，这就是我错过他的原因。

　　当我走出这个山洞，走出相当一段距离，回头望，才发现它就位于雁回山后山。

此后两年，雁回山后山成为我最常去的地方。而在君玮强迫我阅读了他最新创作的一部意识流艳情小说后，我终于明白，自己为什么会不时想起慕言，为什么没事就要去后山晃荡几圈，原来我像书中女子一样，春心萌动了。唯一和书中女子不一样之处在于，她在春心萌动前就对自己的情郎了如指掌，而我对慕言萌生爱慕之心，却基本不知道他家住何方、年龄几何、有无房马，房子和马匹是一次性付款还是分期偿还，家中是否还有双亲，双亲和他是分开住还是住一起……

自从知道自己爱上慕言，我就一直在找他，然而，像世上从来没有过这个人，即便动用了我亲生爹妈那边的关系，也找不到他。

我原本想他或许是陈国人，但在这个更换国籍比更换女人还要容易的时代，也许他今日以陈国为家，明日就是我卫国子民了，总之从国籍入手寻找的想法破产，但除国籍之外，已没有任何线索。如今回想我生前的少女时代，最美好的十五六岁，却都在茫茫寻找中碌碌度过，最关键的是这寻找还毫无结果，令人死都无法瞑目。

后山枫树两度被秋霜染红，我活到了十六岁。传说我在十六岁前不能沾染王室中物，否则就要死于非命，由此父王将我托付给清言宗，指望能免我一劫。我能顺利活过十六岁，大家都很高兴，觉得再无后顾之忧，第二天就立刻有使者前来将我接回王宫。

临走时，我和君玮洒泪挥别，将小黄托给他照顾。因小黄需要山林，而卫王宫是个牢笼。此时，不知道为什么要离开君禹教隐居到清言宗附近的君师父已带着君玮认祖归宗，并接手君禹教成为宗主。这就是说，作为君禹教少宗主，君玮已经足够有钱，能独自担负小黄的伙食了。我和君玮约定，他每个月带小黄来见我一次，路费自理。

父王封我为文昌公主，以此说明我是整个卫王宫里最有文化的公主，但师父时常抱怨，我学了十四年，不过学得他一身才学的五分之一。如此看来，我这样的文化程度也能被说成很有文化，说明大家普遍没有文化。

我的上面有三个哥哥十四个姐姐，一直困扰我的难题是，他们每个人分别应该对应父王后宫中的哪位夫人。三个哥哥个个都很有想法，令父王感觉头痛的是，大哥对诗词歌赋很有想法，二哥对女人很有想法，三哥对男人很有想法，总之没有一个人对治国平天下有所想法。

父王每每看着他们都愁眉不展，只有到后宫和诸位夫人嬉戏片刻才能暂时缓解忧虑。我初回王宫，唯一的感觉就是，在这诸侯纷争群雄并起天下大乱的时代，这样一个从骨子里一直腐朽到骨子外的国家居然还能偏安一隅存活至今，实属上天不长眼睛。

假如我不是卫国人，一定会强烈建议当局前来攻打卫国，它实在太好被攻克。

我从前并不相信父王的那个梦，和他梦中的长门僧。倘若命运要被虚无的东西左右，这虚无至少要强大得能够具体出来，比如信仰，比如权力，而不是一个梦境。但命中注定我要死于非命，这真是躲都躲不过的一件事。

我死于十七岁那年的严冬。

那一年，卫国大旱，从最北的瀚荷城到最南的隐嵇城，饿殍遍野，民不聊生，国土像一张焦黄的烙饼，横在端河之滨，等待有识之士前来分割。而那一天，陈国十万大军就列于王都之外，黑黢黢的战甲，明晃晃的兵刃，他们来征服卫国，来结束叶家对卫国八十六年的统治。

师父在此前两个月谢世，临死前也没有想出办法来挽救卫国。我是他的嫡传弟子，这就是说，我们的思维都是一脉的思维，他想不出办法，我更想不出办法。

初回王宫时，我认为自己职责所在，花费时日写了一本《谏卫公疏》上呈，发表了对现有政体的个人看法，得到的唯一反馈是，父王

摸着我的头对我说，你这个字写得还不错，此后将我幽禁。

只因卫国是大晁版图上一个边缘化国家，王都的政治春风在绵延数百万拓的土地上吹拂了八十六年也没能吹拂到卫国来，即便王都中女人已能做官，卫国的女人却从来不得干政，再加上我们是一个男耕女织的国家，这导致女人一般只有两个功能，织布和生孩子。

在国将不国之时，父王终于打算听一听我的看法，但此时我已没有任何看法，给出的唯一建议是，大家多吃点好吃的东西，等到国破时一起殉国吧，于是我再次被父王幽禁。

他摸着胡子颤抖道："果真是从小在山野里长大，作为一国公主，你对自己的国家就没有一丝一毫感情吗？"

父王的一顿训斥后，我的无血无泪之名很快传遍整个宗室王族。哥哥姐姐们无不叹息："蓁儿你书读得这样多，却不知书中大义，你这般冷情薄幸，父王错疼了你。"

这真是最令人费解的一件事，本该正经的时候大家通通不正经，结局已经注定，终于可以名正言顺不正经了，大家又通通假装正经。如果能将这假装的正经维持到最后一刻，也算可歌可泣，但大家明显没有做到。而身为王族，他们本该做到。在我的理解里，王族与社稷一体，倘若国破，王族没有理由不殉国。

冬月初七，那日，天空有苍白的阴影。

陈国军队围城三日不到，父王已选择投降，再没有哪个国家能像卫国，亡得这样平静。书中那些关于亡国的记载，比如君主自焚、臣属上吊、王子公主潜逃，全然没有遇到。只是女眷们有过暂时的骚乱，因亡国之后，她们便再不能过这样纸醉金迷的生活，但趁乱逃出王宫，除非流落风尘，否则基本无法生存，况且王宫根本没有乱，一切都井井有条，完全没有逃出去的条件。她们思考再三，最终决定淡定对待。

在内监传来最新消息后，我穿上自己平生以来最奢侈的一件衣裳。传说这件衣裳以八十一只白鹭羽绒捻出的羽线织成，洁白无瑕，唯一的缺点就在于太像丧服，平时很难有机会穿上身。

午时三刻，城楼上白色的降旗在风中猎猎招摇，天有小雨。

卫国干旱多时，干旱是亡国的引子，亡国之时却有落雨送葬。

我登上城墙，并未遇到阻挡，城中三万将士解甲倒戈，兵器的颜色看上去都要比陈军的暗淡几分。兵刃是士气的延伸，国破家亡，却不能拼死一战，将士们全半死不活，而兵刃全死了。这城墙修得这样高。修建城墙的国主认为，高耸的城墙给人以坚不可摧的印象，高大即是力量。但如此具象的力量，敌不过一句话，敌不过这一代的卫国国主说："我们投降吧。"

放眼望去，卫国的版图看不到头，地平线上有滚滚乌云袭来，细雨被风吹得飘摇，丝线一样落在脸上。黑压压一片的陈国军队，肃穆列在城楼之下。最后一眼看这脚下的国土，它本该是一片沃野，大卫国的子民在其上安居乐业。

身后跟跄脚步声至，父王嘶声道："蓁儿，你在做什么？"

一夕间，他的容颜更见苍老。他上了岁数，本就苍老，但保养得宜，此前我们一直假装认可他还很年轻，但此时，已到了假装都假装不下去的地步。

我其实无话可说，但事已至此，说一说也无妨，他被内监搀扶着，摇摇欲坠，我在心里组织了会儿语言，开口道："父王可还记得清言宗宗主，我的师父惠一先生？"

他缓缓点头。

风吹得衣袍抖动，稍不留神便将声音扯得破碎，不得不提大音量，三军皆是肃穆，我裹紧衣袍，郑重道："师父教导叶蓁王族大义，常训诫王族是社稷的尊严，王族之尊便是社稷之尊，半点践踏不得。可父王在递上降书之时，有否将自己看做社稷的尊严？倘若叶蓁是一国之君，断不会不战而降，令社稷受此大辱。父王自可说此举是令卫国子民免受战祸，可今日陈国列兵于王都之下，自端水之滨至王都，一路上皆踏的是我大卫国子民的骸骨，城中三万将士齐齐解甲，又如何对得起为家国而死的卫国子民？今日在此的皆不是我卫国的好男儿，卫国有血性的好男儿俱已先一步赴了黄泉，葬身阴司。叶蓁虽从小长在山野，既然流的是王族的血，便代表社稷的尊严，父王你领着宗室降了陈国，叶蓁却万万不能。倘若叶蓁只是一介平民，今日屈服于陈国的铁蹄之下无话可说，可叶蓁是一国公主……"

雷声大作，大雨倾盆而下。我转身瞧见城楼下，不知何时立了个身着华服的公子，身姿仿佛慕言，一眨眼，又似消失在茫茫雨幕之间。

父王急道："你是个公主又怎么，你先下来……"

这一场雨真是浇得透彻，若半年前也有这么一场雨，卫国可还会如此神速地亡国？可见冥冥自有天意。我抹了把脸上的雨水，抬头望着高高的天幕，一时间涌起万千感慨，可以用一句话总结："社稷死，叶蓁死，这本该是一个公主的信仰。"

我从城楼跌落而下，想师父一直忐忑怕把我培养成一个哲学家，真是怕什么来什么，我终于还是成了一个哲学家，走进自己给自己设的圈，最终以死作结。此生唯一的遗憾是不能再见慕言一面。那个夜晚，星光璀璨，他抱起我，衣袖间有淡淡冷梅香。

他说："好厉害的丫头，我救了你，你倒恩将仇报。"

他说："所谓葵水，就是指有规律的、周期性的子宫出血……"

他说："你还是个小姑娘，只要是个男人就不能对你见死不救。"

他说："这画的是什么？像是一只猴子跳起来到桃树上摘桃，又像是一头窈窕的狗熊试图直立起来掏蜂窝……"

也许他早已忘了我，妻妾成群，孩子都生了几打，不知道有个小姑娘一直在找他，临死前都还惦记着他。

风里传来将士们的呜咽之声，和着噼啪的雨滴，我听到戍边的兵士们常唱的一首军歌，深沉的调子，悲凉的大雨里更显悲凉。

我躺在地上，睁不开眼睛，感觉生命正在流逝，有脚步声停在身旁，一只手抚上我的脸颊，鼻间似有清冷梅花香，但已很难辨别这到底是不是幻觉，我挣扎开口道："哥……哥。"脸颊上的手颤了一颤。

我不能像一位公主那样长大，却像一位公主那样死去。

我死在冬月初七这一日，伴随着卫国哀歌："星沉月朗，家在远方，何日梅花落，送我归乡……"

第
二
章

我死后，据说陈世子苏誉下令将我厚葬，入殓出殡皆按的公主礼制。

父王母妃原本第二天就要被押往陈都昊城，因我的葬礼耽搁，推延一日。

出殡之时，宗室王族均被要求前来观瞻，回头须写一篇心得体会，谁都不敢缺席。而王都里残存的百姓们也纷纷自发围观，以至于王宫到王陵的一段路在这一天发生了百年难得一遇的交通堵塞，路两旁的住户想穿过大街到对面吃个面都不可得，大家普遍感到无奈。

当然这些我通通不知道，都是君师父后来告诉我。他在卫国被围城时得到消息，带着君玮赶来带我离开，却没料到我以死殉国，自陈国千里迢迢来到卫王都，正遇上我出殡。那时我躺在一具乌木棺材里，是个已死之人，棺材后声声唢呐凄凉，阴沉沉的天幕下撒了大把雪白的冥纸。

君师父说："卫国分封八十六载，我是头一回看到一个公主下葬摆出如此盛大的排场。"

但我想，那不是我的排场，那是国殇的排场，而一国之死，怎样的排场它都是受得起的。

君师父是个世外高人，凭他隐居在雁回山这么多年也没被任何野生动物吃掉，我们就可以看出这一点。雁回山是整个大晁公认的野生动物自然保护区，经常会有匪夷所思的动物出没伤害人命。

我自认识君师父以来，只是将他当作一个普通的高人，没有想过他高得可以令断气之人起死回生。这是歪门邪道，违背自然规律。试想你好不容易杀死一个敌人，结果对方居然还可以活过来让你再杀一次，叫你情何以堪。但这件神奇的事归根结底发生在我的身上，只好将它另当别论，因否定它就是否定我自己。

我起死回生的这一日，感觉自己沉睡很久，在一个模糊的冬夜睁眼醒来。

从窗户望出去，月亮挂在枝头，只是一个淡黄色光轮，四周静寂无声，偶尔能听见两声鸟叫。我回忆起自己此前从城墙上跌下，那么高，想这样还能被救活，当今医术实在昌明。君师父坐在对面翻一卷古书，君玮趴在桌子上打盹，灯火如豆，他们都没有注意到我。

抬眼就看到床帐上的白莲花，我说："我还活着？"

有一瞬间的死寂，君师父猛然放下书，落在案上，啪的一声："阿蓁，是你在说话？"君玮被惊醒，抬手揉眼睛。

我张了张嘴，发出一个单音节："嗯。"

君玮保持抬手的姿态，愣愣看着我："阿蓁？"

我无暇理他，因君师父已两步走到近前，伸出手指探了探我的鼻息，又扣住我的脉门细细查看。

良久，他感叹："那鲛珠果然是无上的神物，阿蓁，你痛不痛？"

我摇头："不痛。"

他苦笑一声："伤得这么重也不痛，是我让你回来，可你已经死了，你再也不会痛，我自作主张，你想醒来吗？"

我看着他，缓缓攒出一个笑来，点头道："想的。"

这不是起死回生，叶蓁已经死了。

万事皆有因果，这就是我的因果。

人死后意识游丝渐渐散落，终而灰飞烟灭，这是九州的传说。我从前也不过以为它是传说，直到自己亲自死一次，才晓得传说也有可信的。

下葬三日后，君师父趁夜潜入王陵，将我从棺材里扒出来运回君禹山。那时，残存的精神游丝还盘踞在身体中未能离开。他将教中圣物缝入我残破不堪的身体，那是一颗明亮的鲛珠，用以吸纳精神残片，好叫它永不能离开宿主。基本上，这不过是改变一种死亡状态，除了能动能思考，我和死人已没什么分别。

这个身体将再不能成长，我没有呼吸，没有嗅觉和味觉，不需要靠吃东西活下去，也没有任何疼痛感。在左胸的这个位置，跳动的不是一颗热乎乎的心脏，只是一颗珠子，静静地躺在那儿，有明亮光泽，却像冰块一样冷，令我特别畏寒。但能再次睁开眼睛看看这世间，总是好的。

我再不是什么公主，肩上已没有任何负担。君师父重新给我起了个名字，叫君拂。意思是我这一生，轻若尘埃，一拂即逝。我想，这是一个多么凄惨而寓意深刻的名字啊。

此次殉国，我付出巨大代价，把命赔上也就罢了，关键是颅骨摔破，体内脏器也移位的移位、碎裂的碎裂、大出血的大出血。这就意味着此后这副身体必然弱不禁风，虽已没有任何痛感，但经常吐血也不是件好事，手帕都懒得洗。

君师父用鲛绡修补了我的容颜，被他这么一补，在原来的基础上好看很多，只是颅骨上那道裂痕实在摔得太狠，鲛绡也没有办法修整，从眉间绕过额头到左耳处，留下一道长长的疤痕。君玮初次看我的脸，久久不能言语，半天，道："太妖孽了，这个样子太妖孽了，从前那个清清淡淡的模样不好吗？"我说："我仔细研究过了，五官还是没怎么变的，就是比从前稍微邪魅猖狂一点，没事儿，就当整容失败吧。"

但那道疤痕毕竟是碍眼的，君师父用银箔打了个面具，遮住我的半张脸。本来我提议用人皮面具，这样看起来更加自然，但考虑到人皮面具透气性能着实很差，最终作罢。

我以为自此以后便能潇洒度日，其实并非如此，只是当时没想明白，以为人死了便可无忧无虑，但忧虑由神思而来，神思尚在，岂能无忧。君师父花费如此心血让我醒来，自有他的考量。他想要做成一件事，这件事的难度仅次于让君玮给我生个孩子。

他想要我去刺陈，刺杀陈侯。

他将鲛珠缝入我心中，将我的灵魂从虚无之境唤回。鲛珠中封印了密罗术中最神秘的华胥引，这秘术随着珠子植入我的身体。

倘若有人饮下我的血，沾染上体中鲛珠的气息，哪怕只一滴，都能让我立刻看出最适合他的华胥调。奏出这调子，便能为他织一个幻境。这幻境是过去重现，能不能从幻境中出来，端看这个人逃不逃得过自己的心魔。但世人能逃过心魔者，真是少之又少。

君师父想要我这样杀掉陈侯。

站在个人角度，即便是陈国灭掉卫国，我对陈侯也并无怨恨，在这个人如草芥命如飞蓬的时代，成王败寇，本是理所当然。但陈侯一条命换我在人间逍遥半世，我认为是很值得的。我要去杀他，不因我曾是卫国公主，只因我还留恋人世。

君师父说："刺陈之事不用着急，华胥引植入你体内不久，运用还不熟练，你且先适应一阵子吧。"

我想这桩事，我还真是不急。

君师父看我神色，大约猜出我心中所想，又补充道："但你也不能一点都不着急，陈侯身体不好，归天也就是近两三年的事了，你还是要抓紧时间。不然不等你去刺杀，他就自己先死了，这样多不好。"

我说："这样挺好呀。"

他看着远山，神色难辨："不好，那样的话，我的复仇就失去意义了。"

我其实很想提醒他，万一陈侯正被病痛折磨得辛苦，急需谁来给他一刀痛快了结，我去刺他搞不好助他一臂之力，这样就更没有意义了。但转念一想，乐于助人嘛，也是帮君师父积德，便忍住什么也没说。

半个月后，君师父带着君玮下山，寻找一种药材，帮我修补身上的伤痕。临走时君玮安慰我："你变成这个样子，肯定没人愿意娶你，没关系，别人不娶你，我娶你，你千万不要想不开将鲛珠取出，辜负了我和父亲的心血。"

我说："娶了我，你们君家就没后了。"

他疑惑："怎么会没后了？娶了你，我肯定还要再纳几房小妾的嘛，哈哈哈。"

结果被我乱棍打下了山。

转眼六个月，枯树吐出新芽，我挖出埋在中庭老杏树下的一坛梅子酒，君师父就带着君玮回来，后面还跟着小黄。此前小黄误食君师父养来喂毒的小白兔，不小心食物中毒。那只小白兔估计是全大晁最毒的一只小白兔，身上百毒汇集，连君师父都不知道该怎么解，只好将它送到药圣百里越处请他试试，清了大半年才将一身毒素清完。

小黄初见整容后的我，一时不能认出，龇牙咧嘴很久。我拿兔子肉给它吃，它也没有表现出高兴，反而将雪白的牙齿龇得更厉害。直到君玮抚摸它的耳朵柔声安抚他："这是你娘，你不能跟爹爹在一起待得太久了就不认娘了啊，怎么你也是她怀胎十月生出来的娃。"小黄果然就过来亲密地蹭我。

我说："你才怀胎十月生出了它，你怀胎十月生出了他们全家。"

君玮比出一根手指颤抖地指着我："我还好心想娶你来着。"

我说："你能再生个老虎出来给我玩儿吗？能生出来我就考虑给你婆。"

他愣了半晌，恼羞成怒地对小黄道："儿子，咬她。"

但小黄更加亲密地蹭了蹭我的手背。

君师父带回的药材果然有奇效，制成膏糊抹遍全身，一天抹三次，五天之后，一身伤痕就消失殆尽。这个结果让我很满意，忍不住抹了一部分到额头上，但那毕竟是骨头里带出来的伤，痕迹依然明显。我看着铜镜里自己的身体，想起八个字：金玉其外，败絮其中。谁能想到如此生机勃勃的一副躯体，内里已然腐朽得不行了呢，倘若将鲛珠取出，不到半刻怕是就要化为灰烬吧。我想象这场景，觉得真是恐怖。

第六天一大早，君师父来看我，后面跟着哈欠连天的小黄。

门前两株桃树俏生生立着，枝头花开正艳，叶间还带着晨起的露珠儿。他把小黄打发去院子里扑蝴蝶，转头问我："这半年来，华胥引揣摩得如何了？"

我老实回答："没有练习对象，没法长进。"

他沉吟半晌，道："阿蓁，你也知道鲛珠这件法戒器，凭自身之力仅能撑你三年而已。鲛珠靠吸食人的美梦修炼，如今它既附在你的体中，你要活得长久些，只能利用华胥引织出的幻境来吸食人的美梦性命。你是个善心的好孩子，怕做不来这些，但我千方百计将你救活，绝不想你只活三年。我这么说，你可明白？"

他怕我想不通，但我很早就已想通，我不能只活三年，也不能滥杀无辜随意取人的性命。可这世上有多少人为已逝的人生后悔，华胥引能织出重现过去的幻境，让他们在这幻境里将从前修正，倘若有人沉湎于幻境不愿出来，甘愿奉出尘世的性命，那我们双方都求仁得仁。

我说："你可帮我找到什么好差事了？"

君师父含笑点头："不错，近日，你去姜国走一趟吧。"

五日后，我抱着一张七弦琴，和君玮、小黄一同出现在陈国的边境小镇。其实君禹山离姜、陈两国国境不远，步行三日即可到达，此次耽搁两日，主要在于我们骑了一匹马。这也没什么不妥，只是时刻要防备小黄将代步的马匹吃掉，着实是件痛苦而浪费时间的事。终于，我们作出一个决定，将马匹烤烤吃了，带着小黄步行。大家饱餐一顿，行程立刻变得迅速。

陈国与姜国交界之处，是一座绵延的山峦，因山中经常挖出玉璧，唤作璧山。我们想既是这个原因，为何不叫玉山，问过镇上居民，大家推测可能因为璧字笔画较多，显得有文化。

我们到得正是好时候，倘若冬天，整座璧山都铺上一层厚厚积雪，经常发生雪崩，不是经验丰富的老猎户，根本不能穿过，只能绕道郢河。而现在这般，我们沿着山中小路，一边走一边还能欣赏沿途风景，实在赏心悦目。山间有淙淙溪流，我拿出水囊正欲取水，蓦然停住，君玮蹲在一旁掬水洗脸，洗完用衣袖擦擦，注意到我的动向，奇道："怎么了？"

穿过挡在面前的野蔷薇花丛，我指着前方："这个你得看看，仔细看看，看人家是怎么花前月下的，也好积累点小说素材。"君玮神思一振，顺着我指的方向望去。

那是对浓情蜜意的年轻男女。男的一身织锦袍，女的一身云罗衫。因隔得太远，看不清面容，单看身姿，一个玉树临风，一个柳枝轻缠。他们背后大片不知名花海，旁边一株老树下，拴着一匹膘肥体壮的骏马。分神去看小黄，它目光炯炯望着骏马，果然已经在流口水，但被君玮将后颈拎住，不得不表示克制。那男子俯身为女子摘下一朵艳红蔷薇，插在她的发间。女子伸手搂住男子的脊背，两人紧紧贴在一处。

君玮转头来遮我眼睛："看多了容易长针眼。"我一边锁定目光看前面一边打开他的手："我也学点经验嘛。"他不为所动，不遮住我视线就不能善罢甘休，终于将我激怒，一把将他掀翻。

就在此时前方陡生变故，我心中一紧，君玮转回头目瞪口呆："这么快那男的就被女的压倒了？啊，这女的也太主动了，哎哎哎，怎么才亲上她就翻身跨马走人了？玩情趣也不是这么玩儿的，这多不人道啊。"

我说："情你个头啊情，你没看到那女的从背后刺了男的一刀啊，人家是畏罪潜逃了。"

君玮说："啊？他们不刚还搂搂抱抱的吗？"

终归是我没事找事，我和君玮本可撒手不管，但那男子倒下去的身影，像一座倾倒的玉山，蓦然令我想起心中的那个人，慕言。自我醒来之后，已很久没想起他，并不是心中情意已经泯灭，只是假使此时重见，也再不能如何了。

从前我执着，因我活着，而此时此刻，我一个已死之人，没有呼吸没有味觉痛感，他不怕我已经难得，遑论其他。相见争如不见。

君玮查看他的伤口，表示匕首刺入虽深，但未切中要害，幸亏我

们抢救及时，还能捡回他一条命。我看到他的容貌，浓黑的眉，挺拔的鼻梁，凉薄而血色全失的嘴唇，是难得好看的一张脸。脚下的草地很快就被血色浸透，君玮帮他止好血，终于反应过来问我："关键我们为什么要救他呢？"

我说："你看他长得这么好看，也许我们把他治好之后转手卖掉，可以卖到大价钱？"君玮没有理我，转手招呼小黄："儿子，过来帮爹爹驮着他。"小黄将头扭向一边。君玮继续招呼，"到镇上爹爹给你买烧鸡吃。"小黄欢快地跑了过去。

这好看的公子在镇上的医馆里躺了两天才缓缓醒来，除了迷蒙中叫过一声"紫烟"，再没别的言语。我揣摩紫烟是个女人的名字，说不定就是刺他一刀的女人，感叹良久，想古往今来都是这般，英雄难过美人关。

君玮说："这人怎么这样，好歹我们救了他，自醒来到现在，半句感谢也没给。"

我说："长得好看嘛，任性点也可以理解。"

君玮瞪着我："长得好看就可以吃药不给钱啊，长得好看就可以欠人人情不道谢啊？"

我说："嗯。"

君玮捂着胸口气得要倒了。

我们原本设想将这个人救活，拿点报酬，如果他家离得近就顺便把他送回家，再上路离开。但世事总不能如愿，谁能想到如此打扮的一个贵公子，身上却一个子儿也没。我为难道："把你从璧山搬回来这事儿就算我们日行一善了，可你伤得不轻，用了不少好药材，都是我们垫着。我们此行路远，还带了一头老虎，开销很大，盘缠也不算多，你看……"

我想，他要是再没反应我就要去抽他了。

但他没给我抽他的机会。

我的话还没说完，就被他兀然接过："路途遥远？"那一双好看的眉微微上挑，唇边竟噙着一丝笑。

我想，他这是伤情伤傻了吗？

他继续道："既然路途遥远，又是在这崇山峻岭之中，必是艰险异常。在下不才，碰巧学过几年剑术，姑娘若不嫌弃，这一路便由在下护着姑娘吧，也是报姑娘的救命之恩。"

我说："可这药钱……"

他取下手上的玉扳指递给我："把这个扳指当掉，能得二十金铢，不仅药钱，在下一路跟着姑娘的饭钱也有了。"

我接过扳指抬头看他："你不用保护我，既是二十个金铢，已足够报这救命之恩了。"

他淡淡道："在下的命还不至于廉价得这样。"

我上下端详他一番："可我们明天就要离开赶路了，你身子撑得住吗？"

他低笑一声："明日上路吗？无妨。"

君玮不明白为什么这位蓝衣公子一定要跟着我们，想了半天，觉得只能有一个解释，那就是他看上我了。我本来心花怒放了一会儿，但不经意照到镜子，发现自己已然今非昔比。除非他是个重金属发烧友，否则要看上我这张一半都被银箔挡严实的脸，实属难能可贵。

君玮听了我的反馈，陷入沉思，道："不是这样的话，就毫无道理了。"

我开解他："世间事哪有那么多道理，就好比小蓝，风姿翩翩一表人才，按道理能招惹多少狂蜂浪蝶，结果你也看到了，喜欢的姑娘毫不留情扎他一刀，要不是遇上我们，就曝尸荒野了。挑姑娘的眼光太不济，把自己搞得半死不活，要真按道理来，就该没这个事儿了。"

君玮想了想，表示赞同，又想了想，问我："小蓝是谁？"

我说："不就是前几天救回来的那个穿蓝衣服的吗？"说完转身，准备去厨房看药。一抬头看见小蓝，收拾得妥妥帖帖，抄着手正闲闲靠在里间的门框上，冷眼望着我们。背后说人是非，着实缺乏教养，这等事还被当事人抓个正着，我不知作何感想，半天，干笑了一声。他也配合地笑了一声，眼睛里却殊无笑意，转身进了里间。

君玮凑过来道："我相信他不是看上你了。"

我回头问他："你说，有没有可能他其实是看上你了？"

小黄正好从房门前过，君玮磨了磨牙齿，指着我叫住小黄："儿子，咬她。"

十天后，就到了姜国国都岳城。

小蓝说这一路崇山峻岭，必定艰险异常。我们研究一番，觉得他的社会经验应该比我和君玮都丰富，盲目地信任他，一直等待艰险降临。但行路十天，一路平安，连打劫的山贼都没遇上半个。君玮问我："你说，什么时候才能遇上歹徒来袭击我们啊？"我说："不知道，等着吧。"可等待许久，歹徒迟迟不来，等得我们很愤怒。

进入岳城的前一夜，队伍中多加入一个女子，说是小蓝的侍女兼护卫，名唤执夙。我们在路旁买烧饼时遇上她。背景是残血般的夕阳，她骑着一匹白色的骏马飞驰而来。

君玮一把将我拉到一旁躲开，她翻身下马，月白的衣袖扫过我面颊。我和君玮还没搞清楚是怎么一回事，她已旁若无人扑通一声跪倒在小蓝面前，眼圈绯红地望着他哽咽："公子，执夙终于找到你了。"

执夙长得眉清目秀，额间有一颗天生的红痣。对于她执意跟着我们这件事，小蓝没有说好，也没有说不好。君玮点头倒是点得痛快。因执夙着实是个相貌美好的姑娘，十分容易就触动了他一颗恻隐之心。

但在恻隐执夙的同时，君玮对小蓝很不满，和我咬耳朵道："这人真正的风流，连护卫都是女护卫。"但我想，话也不是这么说，离开君禹山时，君师父让君玮好好护着我，就算是我的护卫，照这个逻辑，我岂不是也很风流。

当天晚上，我们宿在一家客栈。睡到半夜，小黄衔着我的衣袖将我摇醒，借着月光端详它的神情，似乎是邀请我和它一同月夜散步。我们穿过长廊，一只老虎一个死人，脚步轻得要飘起来。正要走进后院，蓦然听到执夙的声音："那女子并无什么特别，公子为何不愿随执夙回府中？公子可知，你不在的这几日里，二公子那处又有不少动作。执夙深知，紫烟姑娘伤公子甚深，可公子您，您要以大局为重。"

我想，这个八卦我是偷听好呢，还是不偷听好呢。最后道德感战胜好奇心，决定还是不要偷听，但没等我拔腿离开，小蓝已经接下话来，声音低沉，随夜风传至我耳边，有熟悉之感，"你们，"顿了一下，"寻到紫烟了？"

我拖着小黄退至月亮门，正听到执夙说："公子，您对紫烟姑娘情深义重，但她，她是赵国派来的奸细，她一心只想谋刺您，她……"

声音渐渐消失在我和小黄的身后。

廊檐下，我想起方才的熟悉之感，恍惚觉得又回到三年前那个山洞，慕言就坐在我对面，莹白的手指弹拨一张蚕丝做弦的古琴，嘴角噙着微微的笑。事隔三年，我其实已记不得他的声音，只是那些古琴的调子还会时不时响在耳旁，袅袅娜娜，是我不会唱的歌。

月亮又大又白，我抬手捂住眼睛，就像他的手指曾经蒙上我双眼。但这双眼睛，如今也是死的了。

这件事真是莫可奈何。

第三章

三日后，我见到君师父为我安排的主顾，姜国镇远将军沈岸的夫人，沈宋氏宋凝。说主顾也许并不妥当，因终究不知是她从我这里买一个美梦，还是我从她那里买一条性命。

这是城外的别院，传说镇远将军沈岸和夫人不睦，宋凝自两年前就搬来别院休养，此后再未回过将军府。两年间，发生许多事情，诸如沈岸纳妾，诸如宋凝染病。总之，宋凝的身体越休养越糟糕，如今，终于休养得快要死掉了。

来迎接我们的老仆表示，夫人希望单独见我，让君玮、小蓝、执夙他们三个先去厢房休息。小蓝没什么意见，君玮却对此很不满，我明白他是担心我的安全，不明白的是，我目前这个状态，已经是个死人，到底要如何才能更加不安全。大家讨价还价很久，各让一步，让小黄跟着我。君玮拍拍小黄的头，道："儿子，好好护着你娘亲。"

我也拍拍小黄的头，一抬眼正对上小蓝的目光。他若有所思看着我，极轻地笑了一声，道："君姑娘早去早回。"

老仆领着我穿过两进长廊，穿过大片扶苏花木，边走边介绍，这些花木是从何处运来，拥有如何的奇香，我却完全不能闻到。绕过一片莲塘，踏入莲塘上的水阁，四周皆垂了帷幔挡风，躺在藤床上看书的女子抬起头来。

我看着她仿似从画中拓下来的一张脸，尽管强打了精神，颜色却白而颓败。即使我不拿走她的性命，她也未必活得长久。这并不是说我会看相，着实是因为在这个方面，再没有谁比我这个已死之人更有发言权，那是将死之人的面容。

况且，我来这里的目的就是要取走她的性命，近期内，她即使不能自然死亡，我应该也会弄得她意外身亡。

风吹起帷幔，已是五月的天。将军夫人放下书来，咳了一声，静静看着伏卧在地的小黄，半晌，柔声道："挺温驯的一头虎，未出嫁时，在家乡，我也养过一头小狼崽。"她和我比画，"这么大。"手指像兰花一样在虚空中画出一个形状，画完顿了会儿，她摇头笑了笑，笑罢抬头看我，眼角神色不置可否："你就是君拂？君师父口中那位能助我实现心中夙愿的君拂？"

我说："对。"说对这个字时，其实不能反应君拂是谁。这说明我不是个喜新厌旧之人。我做了十七年的叶蓁，对这个名字饱含感情，即使改名很久，也不能随意忘却。

她将手指搭在藤床床沿不经意地轻叩几声，沉思的表情渐渐变得红润，能看到颊边深深梨窝，良久，笑道："君拂，我想得到一个梦，你可知我想得到一个什么样的梦？"

我坐在小黄背上，正色看她："我不知道，但你终归是要说给我听的。"想了一下又补充道，"可我不是来帮助你，只是来做一笔交易。

我不要金山银山，在岳城的这几日，你只需管管饭。我会给你一个梦，你想要什么样的梦，我给你什么样的梦。届时你可自行选择，选择留在梦中，或是离开这个梦。"

她说："哦？"

我点头："若你选择离开这个梦，我一个子儿不要，但若你选择梦中……"

她微微弯了眼角："若我选择梦中，君姑娘你待怎的？"

我看着她的眼睛："若你选择梦中，就把尘世的性命送给我做报酬，你看如何？"

她一双秀致的眉挑了挑，旋即望向水阁上空，好一会儿，突兀地笑了一声："好。"

这一天，我没能如小蓝所愿早去早回，在水阁中待了大半日。因宋凝讲给我一段故事，那是她的心魔，她想要修正这段故事，哪怕只在梦中。当然这纯属自欺欺人，她因不懂得自欺，才渴望一个梦境令自己骗过自己。

四檐的帷幔被挑起来，远处是落日湖光。她就着茶水饮下我几滴血，血液牵引她体内生气聚集，化作跳动的音符，在我眼前排成一列，我一个音符一个音符牢牢记住，这是宋凝的华胥调。

她在湖光里慢慢回忆，而我透过跳动的华胥调，一幕一幕，看到她的过去。她说："君姑娘可曾听说，我虽是姜国将军的妻子，却不是姜国人。七年前，我十七岁，如同你这般大，带着满满的情意嫁来姜国，真是花一样的年纪……"

花一样的年纪里，黎国大将军宋衍的妹妹宋凝在姜、黎两国的战场上邂逅沈岸。那时，沈岸沈将军是姜国最年轻的少年将军，有冷峻的眉目、了不得的身手、百战百胜的赫赫威名。

宋凝出身武将世家，自小被当作男儿教养，一杆红缨枪使得出神入化，十四岁就跟着兄长征战四方。

十六七岁的年纪，正是姑娘们拿着绣花针为嫁妆汲汲忙碌的时节。宋凝那一双拿红缨枪的手，却已在战场上拿下不少人命。黎国自古男多女少，姑娘总是分外金贵。黎庄公十七年春，凡家有适婚之女的世家大族无不被踏破门槛，但大族之首的大将军府反而门庭寥落，没有哪个贵族敢娶宋凝。

大家都害怕娶了宋凝以后若再敢纳个妾，自己将和妾室双双被宋凝打死。黎庄公欲做一桩好事，将宋凝许给丞相府的二公子。丞相二公子听说此事，当即吓得从马背上摔了下去。

宋凝在战场上得到这消息，在溪边水旁伫立很久。宋衍找到她，皱眉道："你不必担心，那不识好歹的浑小子，兄长定有办法叫他非你不娶。"

她攒出笑来柔声道："哥哥莫气，王都里那些整日泡在温柔乡里斗鸡走狗的纨绔，他们看不上阿凝，就当阿凝看得上他们吗？阿凝要嫁，也是嫁当世的英雄。"

这话原本不过说说而已，表示她基本上并不纠结被丞相二公子嫌弃这等事。但时隔不久，果然遇到命中注定的英雄，就在那一年，那个冬天。英雄骑着黑色的马，执一柄八十斤的重剑，姓沈名岸，字泊舟。

那是黎庄公十七年的严冬，大漠冻雪，黎、姜两国交界处发现成群的汗血马。两国都想据为己有，互不相让，以此为引子，引发多年宿怨，终酿出一场大战。宋凝早听说沈岸的丰功伟业，少年心性，心中不大服气，一直想找个时机与他一较高低。

终于这一天，大雪纷飞，两军对战在玉琅关前。时机得来不易，一向稳重的宋凝不顾兄长眼色，率先拍马而出，列前祭出自己的名号，沉声叫阵："紫徽枪宋凝前来领教沈岸沈将军的高招。"寒风的劲力带着她破碎的嗓音传往敌阵，猎猎招摇的旌旗中，白袍将军跨马缓缓而出，英俊淡漠的一张脸，手中冷冷似水的长剑泛出冰冷白光。

这一场武勇的单挑，宋凝的枪法从未使得如此笨拙，不过五招便被掼下马来，一辈子没有败得这么快，败得这么惨。对方却连眉毛也没挑动一丝，只在长剑不经意拨下她头盔时怔了怔："原是个女子。"

宋凝爱上沈岸，因他打败了她。这也是后来比武招亲不得不流行的原因——世上强大的姑娘越来越多，强大的姑娘们在寻找夫君时，基本上都有一颗独孤求败的心。

你想得到她，就先打倒她。你若打倒她，就必须得到她。如果你打倒了她又不愿意得到她，就会演变成一篇虐心文。

总之，紫徽枪被沈岸手中的长剑格开到两丈外。他坐在马上，探身剑一挥勾起静卧于地的长枪，回手一掷便堪堪钉在宋凝身旁，声音没什么起伏："你的枪。"风卷着雪花在大漠里横行无忌，他的眼睛里是她身后的三万雄兵，她唇角有隐隐笑意，眼睛里却只有他一个人。

沈岸在宋凝心中矗成一座巍峨的高山。黑色的战马，月白的战袍，挥起剑来既快又准，绝不在女子的臂弯中蹉跎人生，她想，这才是她心中的英雄，可惜，是敌国的英雄。

但英雄也有落魄的时候，且总有落魄的时候。历代当得上名将二字的俊杰们皆是如此，不是曾经落魄，就是正在落魄的道路上。

于是，沈岸遇到宋凝，此后走在了落魄的道路上……其实也不能这么说，这么说不好，显得宋凝太扫帚星。沈岸大败于苍鹿野这事着实与她无关，军事学家们分析很久，能找到的最可靠的理由是沈岸的星命说他那一天不宜出行。

苍鹿野一战，沈岸败在黎国大将军宋衍的手下，所带的五千精兵全军覆没，自己也身中数箭，险些战死。黎明时，宋衍的海东青穿过绿洲戈壁，扑棱着翅膀落在宋凝手中。宋凝从海东青的爪子上取下装着军情的竹筒，手一抖，巴掌大的丝帛掉进泥水，字迹模糊成一道恻恻的阴影。宋凝不相信沈岸战死，因她刚把沈岸定义为心中不败的英雄，不到三天，不败的英雄就被打败，感情上讲，着实让她难以接受。

宋凝带上伤药跨马奔出营地。她想，若他没死，无论如何都要将他救活，若他战死，就让她找出他的尸骨将他亲手安葬，他不能成为大漠里无主的枯骨。

他是让她动心的第一个人，和黎国王都里那些醉生梦死的纨绔都不同的一个人，一个真正的男人。其实，她怎么知道他是真正的男人，她也没有试过，一切都只是想象。她却在想象中更加爱上沈岸。

阴沉沉的天，大漠的风像夹着刀子，胯下战马被狂风卷起的碎石击得嘶鸣。宋凝伏在马背上，平沙莽莽间，她用白纱掩住眼睛，护着怀中伤药咬牙逆风而行，手和脸被汹涌而过的风沙擦出一道又一道口子，她将手上的口子放在唇边舔一舔，继续顶风前行。

她想，沈岸就在前方等着她。这信念支撑她用最短的时间走过这最长的一段路，其间还避过了兄长率领回营地的大部队。终归只是她一个人这么认为罢了，其实你想，沈岸怎么可能在等她，沈岸甚至记不得她。

苍鹿野在前方出现，血污被过往风沙掩藏大半，像这战场已被丢弃多时只是空气中浓重的血腥味让人明白，它还是一个崭新的修罗场。姜国人的尸首将苍鹿野铺成黑压压一片，下马随便一踩，就能踩到破碎的尸块。

宋凝徒手翻开两千多具尸首。这已可看出她和沈岸无缘。倘若有缘，就该第一个便翻到沈岸。但她仍然坚定不移，估计觉得必须翻出他才不虚此行，可能是这种执着的精神终于感动上天，翻到两千七百二十八具时，她抹净面上满是血污的男子的脸，看到英俊的眉眼。她紧紧抱住他，哽咽出声："沈岸。"

宋凝没有盲目猜错，英雄们总在该死的时候命不能绝，沈岸还活着。她抱着他，听到他被触动伤口时无意识哼出的一声，心中敲过一把千斤的重锤，泪水顺着脸颊淌下："我就知道，我是应该来的。"彼时他们坐在大堆尸体当中，沈岸基本没有知觉。即便在战场上也是一副微笑表情示人的宋凝，捂着自己的眼睛，哭得满脸是泪。

宋凝救下沈岸。她幼时在府中学过医术，只可惜这方面天赋有限，出师时也只能勉强医治轻度伤寒。沈岸的伤是药圣百里越也未必能治好的重症，在硬件设施和软件设施都极度匮乏的情况下，宋凝居然没把沈岸弄死，反而令他渐渐好转，只能说是她的诚意再一次感动了上天……

但沈岸一双眼为风沙所伤，暂时不能复原。他坐在苍鹿野近旁一座雪山的山洞中，轻轻摩挲自己的剑，淡淡对宋凝道："请问，相救在下的，是位姑娘还是位公子？"

宋凝始终没让沈岸知道自己是个姑娘还是个公子，黎国大军踏平苍鹿野，灭了沈岸五千精兵。她想，沈岸一定很恨黎国人，她怎能让沈岸知道自己是黎国的宋凝。

但天意难测，那一夜，沈岸伤势发作，畏寒至极，不论在洞中升多少堆炭火也没用。她瞧着又急又心疼，沉思很久，终于使出古书上记载的一个古老法子，除下了身上的衣裳，靠近他，和他紧紧抱在一起。

洞中四处都是炭火，烧得洞壁上薄薄一层积雪化成水，顺着洞沿滑下来，滴答，滴答。沈岸清醒过来，猛地推开她，她像树袋熊一样搂着他，他推的力越大，她越是贴得紧。他无奈开口："姑娘不必为在下毁了一身清白。"

她心中好笑，用手指在他胸口轻飘飘地画："医者仁心罢了，不必介怀。"其实她胸中并无半点仁心，只是想着，这是她喜欢的人，她的英雄，用什么方法救他都是值得的，哪怕是一命换一命呢，何况只是肌肤相亲。沈岸不再尝试推拒，用手轻轻搭住她的肩头："若姑娘不嫌弃，待在下伤好，便登门向姑娘提亲。"宋凝抖了一下，慢慢将头靠在他的胸口。

沈岸自这一夜发寒之后，情势急转直下，终日昏睡。宋凝手中伤药告罄，迫不得已，打算背着沈岸翻过雪山谋市镇就医。这件事着实危险，首先，要考虑雪山天寒，他们有没有在翻山过程中冻死的可能；其次，要考虑雪崩频繁，他们有没有被山体上滑坡的积雪砸死的可能；再次，还要考虑有没有因迷路走不出雪山而饿死的可能。总之，一切都很艰难。但宋凝思前想后，觉得此事值得一试，虽走出山洞那就是找死，但待在山洞也是等死，两边都是死，兴许找死还能找出一线生机。她没有想过丢下沈岸一个人回营地。

三日里不眠不休，她背着沈岸奇迹般穿过雪山，来到雪山背后镇上的医馆时，已是满手满脚的血泡，放下他许久，也不能将腰直起来。

沈岸仍在昏睡。

宋凝近十日未回营地，宋衍早已急得跳脚，派了手下将领四处寻她。她刚到这小镇就看见兄长的下属，自知不能待得长久，将随身一枚玉佩摔做两半，用红丝线穿了其中一半挂在沈岸脖子上，自己留下另一半，以此作为信物。她将沈岸托付给医馆里一对爷孙，留下五个金铢，缓缓道："这是你们姜国的将军，治好他，你们的王定有赏赐。"上了年纪的老大夫一下子跪倒在地，一旁的哑巴孙女扶住他，一只手打着宋凝看不懂的手势。

她的手滑过沈岸的睫毛，他脸色苍白，睡得很沉，并不知道她要离开。

她说给我听这段故事，她记忆中没有的那些，我却看到。

就在宋凝离开后的第三日，沈岸在雨夜中醒来，他的眼睛经药水洗涤，已然清明。老大夫的哑巴孙女坐在他床边，他仔细端详她，轻笑："原来你是长得这样，这么些天，担心我了？我们现在是在哪里？"

哑女一张清秀的脸霎时通红，咬着唇不好意思看他。

他看了看四周："是在医馆吗？你坐过来些。"

哑女绯红着脸坐得过去些。

他微微皱眉："你不会说话吗？"

她迟疑着点头。

他握住她的手："怪不得一直以来都不曾听过你说话，原是不会说。"

她微微抬眼看他，又不好意思地低下头，却没有将手抽开。

黎庄公十八年春，姜国战败，以边境两座城邑请和，黎、姜两国立下城下之盟。盟约订立不久，黎庄公将大将军之妹宋凝收为义女，封敬武公主，遣使前往姜国向姜穆公提亲，意欲促成宋凝和沈岸的婚事，结两国之好。

宋凝从前不能让沈岸知道她是谁，因隔着国仇，怕沈岸宁死不受黎国人的恩，不让她相救。其实完全是她想得太多，所谓英雄不问出处，就是说英雄受人恩惠时，一般不问恩惠来处。

但如今她是要嫁去姜国，嫁给心目中的英雄，她记得沈岸说要娶她，不管他爱不爱她，她要让他兑现诺言。这就是男人们普遍讨厌对女人允诺的原因，因为她们的记性实在太好，并且总有办法将这诺言强制执行。宋凝写成一封长信，信中附了当初摔碎的半块玉佩，请提亲的使者私下送给沈岸。

直到送亲的队伍起程，宋凝也没收到沈岸的回信。但这件事无伤大雅，顶多是一支不和谐的小插曲，毕竟沈岸答应了黎庄公提出的这桩婚事。宋凝在心中反复推论，觉得第一，沈岸亲口提出的要娶自己；第二，沈岸亲口答应的姜穆公会娶自己，不管是主动还是被动，他都十分配合，此事已然万无一失。

没想到终有一失，却是天意。这是个很玄的说法，但不玄似乎不足以说明命运的阴差阳错，就如宋凝，就如我。

洞房夜里，圆月挂于枝头，浮云铺在天际，喜烛映照出重重花影。宋凝酝酿半天感情，要在沈岸揭开盖头时给他最明艳的笑。她长得本就绝色，黎国王都的纨绔子弟虽然集体不愿讨宋凝做老婆，但对她的美貌基本上众口一词的肯定，这一点其实很不容易，也可从侧面反映出黎国的纨绔们审美水平普遍很高，并且趋于一致。因是绝色，绝色里漾出的一个笑，就自然倾城。沈岸挑开鸳鸯戏水的红盖头，看见这样倾城的一个笑，愣了愣。

宋凝微微偏头看着他，笑中溢出流彩的光。他面上没什么表情，是她熟悉的模样。她想，她这一生的幸福都在这里了。家中的老嬷嬷教她在新婚当夜说令人怜爱的话语，比如"夫君，我把阿凝交给你，好好地交给你，请一定要珍重啊"什么的。她想着要将这句话说出口，还在酝酿，却听他冷冷道："你可知今夜坐在这喜床边的人，原本该是谁？"

她不知他说的是什么，抬头道："嗯？"

他眼中寒意凛然："我听说，是你哥哥向黎公提议的，让你我结亲。为什么是我？就因我曾在战场上胜过你一次？宋凝，难道此前你

们没有打听过，我已有未婚妻？"

她喃喃："可你说你要娶我。"

他冷笑一声："终究我也是为人臣子，主上拿蓁蓁的性命逼我，我焉有不从之理？只是，我不想从你那里得到什么，也烦请你不要从我这里要求什么。"

她望着他："我没有想从你那里要求什么，我只是……"

他蓦然打断她的话："那便好。"

他拂袖踏出新房，喜床前一地破碎月光。她看着他的背影，想绝不该是这样。她唤他的名字："沈岸。"就像在苍鹿野的修罗场，那一刻的时光，她抱着他，声带哽咽，唤得轻而缠绵。但他没有停下脚步。她没有流泪，只是茫然。

她一生唯哭过一次，那是她在苍鹿野找到他，发现他还活着。她脱下大红的喜服，叠得整整齐齐，规规矩矩躺在床上，眼睁睁看着一对龙凤烛燃尽成灰，窗外月色戚戚然。

第二日，宋凝前去向老将军、夫人请安，听婢女们咬舌头说将军昨夜宿在荷风院，荷风院中安置着柳蓁蓁，蓁蓁姑娘。她想，蓁蓁，又茂盛又有生气，真是个好名字。

她听说蓁蓁给将军做的衣，针脚绵密，绣的翠竹栩栩如生。

她听说蓁蓁给将军煨的芙蓉莲子羹，用荷池里结的第一塘莲子，熬出的汤清香扑鼻。

她听说蓁蓁虽不会说话，却时时能逗得将军开心。

宋凝对此事的看法其实这样，柳蓁蓁原本该是沈岸的妻，自己横插一脚毁了他人姻缘，该行为属于第三者插足，着实不该再有所计较。打从自己嫁过来之后，除了新婚之夜那一面之缘，沈岸再没出现在自己面前，也可看出他着实是个专情之人，令人钦佩。她想她爱沈岸，但事已如此，只得将这种爱变成信仰，因为信仰可以没有委屈，信仰可以没有欲望。

她常听到柳姜姜如何如何。

她虽已想通，并致力于将自己的爱情往"我爱你，与你无关"这个方向发展，但其实并不想见到柳姜姜这个人。可有些事不是你想如何就能如何，连王城中的皇帝也不能想生一个儿子，他后宫里的妃嫔就立刻善解人意地给他生个儿子。

生儿生女还是生个叉烧包，这些事，冥冥中都有注定。包括从没有午后散步这个好习惯的宋凝有一天突然跑去后花园散步。于是那一日莺啼燕啭，花拂柳，柳依岸，于是那一日，她碰到传说中的柳姜姜。

故事总有前情，前情是宋凝在花园中拾到一块玉佩，玉佩用金箔镶嵌，拼得如完璧，中间却有一道清晰的裂痕。

她拾起来眯了眼睛对着日光端详很久，确定是去年隆冬时节别离沈岸时被自己摔碎的那块。有女子匆匆到她面前，伸出葱段般的手指，一手指着玉佩，一手指着自己。她抬起头来，女子看清她的容颜，一张脸陡然煞白。她想她在哪里见过这女子，微风拂过，拂来一阵淡淡药香，这药香令她陡然想起雪山背后的小医馆。她握着玉佩，微笑看她："你也在这里？沈岸他果然不是个忘恩负义之人，你爷爷呢？"

女子哆嗦着嘴唇，转身就要逃开。她微微皱眉，一把拉住她："我很可怕？你怕成这样？"

女子拼命挣扎着往后躲，背后突然传来沈岸的声音："姜姜。"

姜姜。她一失神，手中的女子就被沈岸抢去，他护着她，像一棵参天大树护着身上攀附的藤蔓，容色温柔，姿态亲昵。抬眼看着她时，却是一脸的冷若冰霜。他责问她："你在干什么？"

她答非所问，看着沈岸怀中的女子："姜姜，你就是姜姜？"女子却不敢抬头。

沈岸蹙眉，目光停在她手中，一顿，冷冰冰道："那是姜姜的玉佩，你拿着做什么？"

她愣了一会儿，惊讶地望着他："姜姜……的？什么是姜姜的？怎么会是姜姜的？"她上前一步，将手中玉佩放到他眼前："你有没有看过我给你的信？你忘了这是我给你的信物，你忘了在苍鹿野的雪山里，我们……"

她还要继续说下去，柳姜姜突然握住沈岸的衣袖拼命摇头。

他眼中冷光闪了闪，不耐烦地打断她："苍鹿野一战，五千姜国人死在你们黎国箭下，姜黎两国虽已言和，可这一战的大仇，沈岸却没齿难忘。"他冷笑，"苍鹿野的雪山里，若不是姜姜救我，如今的沈岸，也不过是战场上一缕游魂，还能娶得了你黎国的敬武公主宋凝？"

柳姜姜仍在摇头，握着沈岸的手，泪水顺着眼角滑落，濡湿双颊，花了妆容。

宋凝难以置信，嗓音从喉咙里飘出来："怎么会是她救了你，救你的……明明是我。"她以为她说清楚，他就能明白，其实是高估了他的理解力。因世事并不似这样，沟通不是有沟就能通，也许事先被人放了鳄鱼在沟里，就等你涉水而过时对你痛下杀手。

他看她的眼神里满是嘲讽："你在胡说什么？你救了我？宋凝，我可从未听说你懂医术。救我的女子医术高明，不会说话，那是姜姜。你以为姜姜说不了话，我就能听信你一派胡言乱语对她栽赃嫁祸？"

她无法向他证明，因她当初救他基本上全靠上天垂怜。而如今，明显上天已经变心，转而垂怜了柳姜姜。

她想他没有看到那封信，信其实送到何处她已明白，如今再纠结此事毫无用处，只是心中不甘，哪怕沈岸不爱她，有些事，她总要让他明白。可她说什么都是错，她做过种种努力，沈岸不给她机会，这实在是一个严谨的男人，半点空子都钻不得，着实令人悲愤。

她不再尝试向他解释，他看她的眼神都是冰，他从不肯好好倾听。起初她心中难过，又不能流下泪来，常常抱着被子，一坐天明。在长长的夜里，想起他将手轻轻搭在她肩上，柔声对她说："若姑娘不嫌弃，待在下伤好，便登门向姑娘提亲。"那是唯一美好的回忆。她看来刚强，终归是女子，越是刚强的女子，越是要人珍重，过刚易折即是如此。

只是没有想到，新婚不过三月，沈岸便要纳妾。

纳妾其实无可厚非，大晁风俗即是如此，由皇帝带头，臣民纷纷纳妾，你纳我也纳，不纳不行，纳少了还要被鄙视。因君玮性喜研究皇帝的家务事，作出如下分析，觉得皇帝纳妾主要因皇后身为国母，母仪天下，是天下万民的化身。

试想一下和国母过夫妻生活时，看着她慈祥的脸，立刻心系苍生，办正事时也不能忘怀政事，真是让人放不开，只好纳妾。

究竟如何，我们也不能知道，也许只是男人色心不死，所以纳妾不止呢？不过沈岸要纳这一房妾，却是为了所谓爱情，而这是唯一让人不能容忍的事情。首当其冲，不能为宋凝容忍。

宋凝将这桩事挡了下来，借的黎庄公的势，黎国的国威。

她坐在水阁之上，一塘的莲叶，一塘的风，塘边有不知名老树，苍翠中漫过晕黄，是熟透的颜彩，就像从画中走出来。沈岸站在她面前，这是新婚后第三次相见，他蹙眉居高临下看她："你这样处心积虑毁掉我同薆薆的婚事，你到底想要什么？"

她放下手中书卷抬头看他，像回到未出阁前，战场上永远微笑的宋凝，声音沉沉，颊边却攒出动人梨窝："我想要什么？这句话问得妙，我什么也不想要，只是有些东西，柳薆薆她不配得到。"

他冷声答她："你容不下薆薆，可知我又容得下你。"

她颊边梨窝越发深："沈岸，你没有办法不容我，终归我们俩结亲，结的是黎国同姜国的盟约。"

他脸上有隐忍的怒意："新婚当夜我们便有约定，你我本该井水不犯河水。"

她看着自己的手，语声淡淡："其实本也没有什么，只是看着你们这样恩爱，而我一个人嫁来这里，孤孤单单的，很不开心。"

他拂袖冷笑："宋凝，你还记得当初是谁提的这门亲？"

他的背影在拐角处消失不见，半晌，她低头打开手中书卷，风拂过，一滴泪啪的一声掉在书页上，墨渍重重化开。她抬起袖子擦了擦眼睛，若无其事另翻了一页。

不久，与姜国隔河相望的夏国国君薨逝，公子庄沂即位。两月后，夏国新侯庄沂以姜国援助夏国叛贼为名，举兵攻姜国。姜穆公一道令旨下来，沈岸领兵迎战。

四月芳菲尽，天上一轮荒寒的月，宋凝在窗前立了半宿，看着月亮沉下天边。她终归还是不能让他在战场上死去，他不是可意的夫君，但半年前她一眼就看中他，他是她心中的英雄。有些人没什么恋爱经验，情怀浪漫，一眼万年，说的就是宋凝。

寅时，她将陪嫁的战甲从箱中翻出，取下胸前的护心镜，拖着曳地长裙，绕过花廊，一路行至沈岸独居的止澜院。院中婢女支支吾吾，半晌，道："将军他，将军他不在房中……"

她容色淡淡："在荷风院？"

婢女垂着头不敢说话。

她将丝帛包好的护心镜交到她手中："既然他不在，这东西，便由你……"

话未完，面前婢女忽抬头惊喜道："将军。"

沈岸踏进院门，天未放亮，院中几个灯笼打出朦胧的光，他的身形被笼在一层晕黄的光影中。她听到他的声音，就响在她身后，僵硬道："你在这里做什么？"

她转身，亭亭立在那儿，从头到脚打量他一番，笑了一声。笑意未达眼睛，只是她一贯表情。

她递给他手中布裹："没什么，听说你要出征了，过来把这个青松石做的护心镜拿给你。这镜子比寻常护心镜坚固许多，前前后后救了我不少次性命，我终归不再上战场，烦请你带着它再到战场上见识见识。"

他微微皱眉，看着她，半晌，道："我听说，这护心镜是你哥哥送给你的宝贝。"

她抬起眼睛，眼角微微上挑："哦，你也听说过？说是宝贝，那也须护得了人的性命，护不了人的性命，便什么也不是。把它借给你，没有让你欠我人情的意思，你说得好，我们本该井水不犯河水，只是终归你我存了这个名分，你若死在战场上，你们沈府这一大家子人让我养着，着实费力，谁的担子就由谁来挑，你说是不是？"

他端详着手中碧色的护心镜，像一片铺展的荷叶。她颔首欲走，他一把拉住她："你可改嫁。"

她看他握住她袖口的手，视线移上去，到襟边栩栩如生的翠竹。她笑盈盈地道："什么？"

他放开她衣袖："我若战死，你可改嫁。"

她做出低头沉思的模样，半晌，道："啊，对。"

她抬起头来，颊边梨窝深得艳丽："那你还是死在战场上不要回来了，永远也不要回来了。"

一旁的婢女吓得一抖，她却笑开，眼中冷冷的。真是女孩的心思你别猜，猜来猜去也猜不明白。

世间有类姑娘，说的每句话都让你想得非非，还有类姑娘，说的

每句话都让你非得想想。前面这类姑娘以隔壁花楼里的花魁李仙仙为代表，后面这类姑娘以宋凝为代表。

她走得匆忙，终于能留给他一个背影，端正的、高挑的、亭亭的背影。他握着那绿松石的护心镜，望着她远去的背影，目光沉沉，若有所思。

沈岸离家两月。

八月中，丹桂馥郁，荷风院传来消息，说姜姜姑娘有孕了。老将军和夫人相顾无言。柳姜姜算是沈府的客人，家中女客怀孕，怀的是自己儿子的种，这倒也罢了，居然还是当着儿媳妇的面怀上的，着实让二老不知道该说什么。只是宋凝前去请安时，老夫人隐约提了一句："让沈家的子孙落在外头终归不是什么体面的事。"宋凝含笑点头："婆婆说的是。"

月底，城外瞿山上的桂花开得漫山遍野。宋凝望着远山，与陪嫁过来的婢女侍茶淡淡道："邀着姜姜姑娘，明日一同去瞿山赏桂花吧。"

侍茶将帖子送到荷风院，柳姜姜接了帖子。

第二日，宋凝轻装简行，只带了侍茶。侍茶一只手挽了个点心盒子，另一只手挎了个包袱皮。相对宋凝，柳姜姜隆重许多，坐在一顶四人抬的轿子里，前后还跟了荷风院里两个老嬷嬷外带屋里屋外四个婢女。

宋凝笑道："赏个桂花罢了，这么多人，白白扫了兴致。"

打头的老嬷嬷幽幽道："夫人有所不知，将军日前来信，要奴婢们好生照看姜姜姑娘。姜姜姑娘已是有了身子的人，奴婢们半点怠慢不得。"

宋凝敲着扇子不说话。

侍茶轻笑："瞧嬷嬷说的，怠慢不得姜姜姑娘，便怠慢得我家公主？说句不好听的，在我们黎国，倘若公主站着，底下人就不敢坐着，倘若公主坐着，底下人不得公主恩典，便都得跪着。这到了你们姜国，倒全反过来了，我家公主今日徒步登瞿山，你家姑娘却能坐轿子，你们姜国的礼法是这样定的？"

老嬷嬷扑通一声跪在地上，不住抽打自己耳光。

轿帘掀开，柳姜姜急步下轿护住老嬷嬷，带药香的一双手打出婉转漂亮的手势。老嬷嬷在一旁战战兢兢解释："姑娘说她不坐轿了，方才是她不懂事，她跟着夫人，一路服侍夫人。"

瞿山高耸入云，整整一天披荆斩棘的山路岂是一个孕妇可以负荷，回府当夜，便听说柳姜姜下身出血不止。第二日一大早，有消息传来，说柳姜姜腹中胎儿没保住，流掉了。侍茶担忧道："倘若将军生气，可如何是好。"宋凝倚在窗前看书，抬手让她换了壶新茶。院中桂花袅娜，桂子清香扑鼻而来。

柳姜姜丢了孩子，归根结底是宋凝之故，但这孩子来得名不正言不顺。老将军老夫人即使想怜悯她也无从下手，只能从物质上给予支持，燕窝、人参、雪莲子，什么贵就差人往荷风院里送什么。

只是柳姜姜终日以泪洗面，腾不出空闲进食，为避免浪费，只好由侍女及老妈子代劳。造成的直接后果就是，除了柳姜姜依然能保持美好身材，整个荷风院在短时间内集体发福，连院门口做窝的两只麻雀崽儿也未能幸免。这期间，宋凝称病，深居简出，谁也不见。

可终有那么一个人，容不得她不见。那是她命中的魔星。她为他卸下战甲，披上鲜红嫁衣，用了一生的柔情，千里迢迢来嫁给他。可他不要她。

九月中，凯旋之音响彻姜王都，沈岸打了胜仗，班师回朝。

宋凝坐在水阁边喂鱼，想想抬头问侍茶："他回来了，你说，他会杀了我吗？"

侍茶手中的杯子啪的一声落在地上。

宋凝笑出声来："我身手虽不及他好，倒也不至于轻轻松松就叫他取了我的命，大不了打个两败俱伤，你不必担忧。"

侍茶扑通一声跪在地上："公主在这里过得不快活，侍茶看得出来，公主很不快活。为什么我们不回黎国，公主，我们回黎国吧。"

宋凝看着莲塘中前仆后继抢吃食的鱼群："这是国婚，你以为想走就走得了吗？"

所有的不可挽回都是从那个夜晚开始。我这样说，是因为我看到事情全貌，看到宋凝的生命由这一晚开始，慢慢走向终结。将她推往死地的，是她的爱情和沈岸的手。他携着风雨之势来，身上还穿着月白的战甲，如同他们初见的模样，可眼中分明有熊熊怒火，犹如死地归来的修罗。

她终归敌不过他，不过两招，他的剑已抵住她喉咙，她慌忙用手握住剑刃，剑势一缓，擦过她右手五指，深可见骨的口子，鲜血顺着剑身一路滑下，那一定很疼。可她浑不在意，只是看着自己的手："你是真的想杀了我？"

他冷声："宋凝，你手里沾的，是我儿子的命。你逼着萋萋同你登瞿山，就没有想过你会杀了他？"

她猛地抬头，眉眼却松开，声音压得柔柔的："那不是我的错，我也没生过孩子，哪里就知道有了身子的人会如此不济，登个山也能把胎登落。你同那孩子无缘，却怪到我头上，沈岸，你这样是不是太没有道理了？"

她说出这些话，并不是心中所想，只是被他激怒。她看着他铁青的脸，觉得好笑，就真的笑出来："沈岸，你知道的，除了我以外，谁也没资格生下沈府的长子嫡孙。"她想，她的爱情约莫快死了，从前她看着沈岸，只望他时时事事顺心，如今她看着他，只想时时事事找他的不顺心。可他不顺心了，她也不见得多么顺心，就像一柄双刃剑，伤人又伤己。

她一番戏谑将他激得更怒，她看到他眼中滔天的怒浪，由此判断他的剑立刻就会穿过手掌刺进她喉咙，但这个判断居然有点失误。沈岸的剑没有再进一分，反而抽离她掌心，带出一串洋洋洒洒的血珠，剑尖逼近她胸膛，一挑，衣襟盘扣被削落。

她的夫君站在她面前，用一把染血的剑挑开她的外衫，眼中的怒浪化作唇边冷笑，嗓音里噙着冻人的嘲讽："宋凝，我从没见过哪个女子，像你这样怨毒。"

迟到九个月的圆房。

她试图挣扎，倘若对方是个文弱书生，她不仅可以挣开还可以打他一顿，但对方是位将军，十八般武艺样样精通且最擅长近身格斗，她毫无办法。

床上的屏风描绘着野鸭寒塘、荒寒的月和冰冷的池水。她冷得打战，双手紧紧握住沈岸的背，沿着指缝淌下的血水将他麦色的肌肤染得晕红一片，像野地里盛开的红花石蒜。她终于不能再维持那些假装的微笑，泪水顺着脸颊淌下。她的声音响在他耳边，像一只呜咽的小兽。

她从小没有父母，在战场上长大，哥哥无暇照顾她，跌倒了就自己爬起来，实在跌得痛就用小手捂着伤处揉一揉。战场上的宋凝永远微笑，因她懂事，不能让哥哥担忧，久而久之养成这样的性子，连怎么哭都不会。

她一生第一次这样哭出声来，自己都觉得惶恐，因是真正感到了痛，而痛在心中，又不能像小时候一样，用手去揉一揉。她重重喘气，鼻头都发红，再不能像往常一样凛然，也再不能像往常一样刚强。

她才十七岁。那嗓音近乎崩溃："沈岸，你就这样讨厌我，你就这样讨厌我。沈岸，放开我，求求你放开我。"

但他在她耳边说："你的痛，能比得上我的失子之痛吗？宋凝，你想要什么，我给你什么，只是我们从此两清。你知道两清是什么。"

空气中满是血的味道，我闻不到，但可以看到。

她的指甲深深陷入他脊背，已不能哭出声，喑哑的嗓音荡在半空中，秋叶般苍凉："沈岸，你这样对我，你没有良心。"

宋凝的右手毁在这一夜，那本是拿枪的手，使出七七四十九路紫徽枪法，舞姿一样优美，让所有人都惊叹。那些刀伤刻在她手上，刻在她心上，毁掉了她对沈岸的全部热望。

她醒来，沈岸躺在她身边，英俊淡漠的眉眼，眉心微皱，她想这是她爱过的人，茫茫人海中她一眼就相中他。他的剑就掉在床下，右手已无法使力，她侧身用左手捞起那柄八十斤的黑铁，惊动了他。就在他睁眼的一刹那，她握着剑柄深深钉入他肋骨，他闷哼一声，看到一滴泪自她眼角滑过，留下一道长长的水痕。

从前，她在成千的尸首中翻出他，她背着他翻过雪山找医馆，不眠不休三个昼夜，都是从前了。既是从前，皆不必提了。她偏着头看他，终于有少女的稚气模样，脸上带着泪痕，却弯起嘴角："沈岸，你为什么还要回来，你怎么不死在战场上？"

他握住她持剑的左手，突然狠狠抱住她，剑刃锋利，不可避免刺得更深。他呕出一口血来，在她耳边冷冷道："这就是你想要得到的？你希望我死？"

宋凝和我说起那一夜，事隔多年，淡淡的眉眼中仍晕出痛苦神色，仿佛不能回忆。她不知道我其实已看到那一切，那一定是魔魇般的一夜。虽然我其实还不太明白魔魇究竟是个什么东西，只是在君玮的小说里常看到这个词汇，大约是魔鬼的梦魇什么的简写得来。

这一幕的最后场景，是茫茫夜色中，秋雨淅沥，缠着凋零的月桂，想象应是一院冷香。

沈岸没死成。那一剑固然刺得重，遗憾的是未刺中要害，大夫嘱咐好好将养，不过三月便能痊愈如初。

而两月后，宋凝诊出喜脉。柳葚葚收拾包袱，半夜离开沈府。第二日消息传开，沈岸拖着病体四处寻找，找到后另置别院，将柳葚葚迁出沈府，自己也长年宿在别院，不以沈府为家。

第二年六月，宋凝诞下一个男婴。

沈岸伸手抱起那个孩子，淡淡道："你恨我。"

他看着床帐的方向："我以为你，不愿将他生下来。"

宋凝躺在床帐后，本已十分虚弱，却提起一口气，轻声笑道："为什么不生下他，这是沈府的嫡孙，将来你死了，就是他继承沈府的家业。"

他眼中骤现冷色，将孩子递给一旁的老嬷嬷，拂袖便走。孩子在背后哇哇地哭，他在门口停住，半晌，道："宋凝，天下没有哪个女子，一心盼着丈夫死在战场上。"

她的声音缥缥缈缈，隔着数重纱："哦？"

一晃四年，其间不再赘述，只是黎、姜两国再次闹翻，争战不休。针对我要做的生意，这件事并不重要，重要的事情是柳葚葚诞下沈家第二条血脉，是个女儿。这件事在很长一段时间里使整个别院的社会空气趋向悲观。

因我站在宋凝这边，不禁想柳葚葚如此焦灼应是生女儿就分不到多少财产所致，但只是个人猜想，也许人家其实是因为沈岸性喜儿子

却没能为他生出个儿子感到遗憾。

院里的老嬷嬷一再启发柳姜姜，表示在宋凝的眼皮子底下她能顺利生出个女儿就很不错了，启发很久才启发成功，让她明白这个女儿着实来之不易，收拾起一半悲伤，同时，沈岸对女儿的疼爱也适时地弥补了她的另一半悲伤。

我又忍不住想，柳姜姜能如此快速地化悲伤为希望，乃是因私下沈岸已重新分配遗产，采取遗赠手段分配给她可观数额。若君玮在现场看到，一定会批评我没有一颗纯洁之心，想事情太过阴暗，不够灿烂。但我想，若此情此景，我还能纯洁并灿烂，就会成为一个圣母。

宋凝的儿子长得极像她，起名沈洛。

沈洛颊边有浅浅梨窝，两三岁就会背诵诗书上的高深句子。若实在遇到难题，背不出来也不让人提醒，只端坐在那儿，将肥肥的小手捏成个小拳头抵住下巴，用心思考。

假如冬天，穿得太厚，做这动作未免吃力，但他为人固执，有始有终，不轻易换造型，可劲儿用小拳头去够下巴，顾此失彼，前前后后从小凳子上摔下来五六次，摔疼了也不哭，只爬起来自己揉揉，这一点酷似宋凝。

沈洛聪明伶俐，却不容易认出自己的父亲，基本上每次见到沈岸时叫的都是叔叔而不是爹爹。这说明他和沈岸见面的机会着实很少，侧面看出他娘和沈岸见面的机会着实也很少。但作为一个两岁就知道"羸弱"怎么读的智慧儿童，真不知道他是确实认不出沈岸还是只是假装。可这样惹人怜爱的孩子，却很早就夭折了。

这个很早，说的是他四岁的隆冬。

那日，沈岸带着女儿来沈府给老将军老夫人请安。小姑娘躲过仆从，一人在花园玩耍，遇到沈洛。两人不知为什么吵闹起来，拉拉扯扯，一不小心双双掉进荷塘。救上岸时虽无大碍，却因沈洛本就伤寒在身，被冷水一泡伤寒更深，连发了几夜高烧，第三日天没亮，闭上一双烧得发红的大眼睛，顷刻便没了。

大约正是这件事，才将宋凝真正地压倒。

我看到冬日暖阳从岳城尽头冉冉升起，沈洛小小的身体躺在宋凝怀中，脸颊保有红润颜彩，依稀是睡着模样。她抱着他坐在花厅的门槛上，竹帘高高地收起来，日光斑驳，投到他们身上。

她将他的小脑袋托起来："儿子，太阳出来了，你不是吵着半个月不见太阳，你的小被子都发霉了吗？今天终于有太阳了，快起来，把你的小被子拿出去晒一晒。"

可他再也不能醒来。眼泪顺着她脸颊淌下，落到他脸上，滑过他紧闭的双眼。就像是他还活着，见到母亲这样伤心，流下泪水。

沈岸随仆从出现在园中，宋凝正提着紫徽枪走出花厅，月白长裙衬着锋利美貌，总是微笑的面庞没有一丝表情，像用血浇出的红莲，盛开在冰天雪地间。这样好看的女子。

紫徽枪奔着沈岸呼啸而去，去势惊起花间寒风，她连他躲避的位置都计算清楚，这一枪下去就了了一切恩怨情仇，只是没算到他端端正正站在那儿，眼睁睁看着枪头刺来，一动也没动。

这一枪无可奈何，只能刺偏。他跟跄两步站稳，握住她持枪的手："阿凝。"

她抬头望他，像从不认识他："为什么我儿子死了，你们却还能活着，你和柳萋萋却还能活着？"

此生，我没有听过比这更凄厉的诘问。

紫徽枪擦过沈岸的袖口，浸出一圈红痕。她看着那微不足道的伤口，想挣脱被他强握住的左手，挣而不脱，终于将郁结在心底的一口血喷出，顷刻，染红他雪白的外袍。他一把抱住她。而她在他怀中滑倒。

宋凝自此大病。

此后一切，便如传闻。

故事在此画下句点。今日的宋凝坐在水阁的藤床上，容色悠远，仿佛把一切都看淡。她用一句话对七年过往进行总结。

"君拂，爱一个人这样容易，恨一个人也这样容易。"

我不是很苟同她这个说法，就如我爱慕言。我爱上他，着实是很不容易的一件事，若他没有救我两命，我们只如红尘过客，不要说我主动爱他，就是他主动爱我，我都不给他机会。

而我既然爱上他，此生便不能给他时机让他伤害我，让我恨他。当然，这些全建立在我是个活人的基础上。而我此生已死，如今是个死人，这些坚贞的想法，也就只能是些想法，没事儿的时候想想，聊以自慰罢了……

其实，在我看来，所有的悲剧都来自于沈岸太专情。若他不是如此专一的一个男人，完全能达到三人的和谐共赢，最后搞得你死我活，真是令人长叹。

临别时，宋凝疲惫道："如今想来，从头到尾，我爱上的怕只是心中的一个幻影。"

我颔首表示赞同。

她轻轻道："君拂，你能帮我做出心中这个幻影吗，在梦中？"

落日西斜，余晖洒在荷塘上，一池残红。我算算时日，点头道："给你两天时间，你看够不够，把尘世的事了一了，两日后，我们仍约在这水阁之上吧，我来为你织一个好梦。"

第
四
章

　　两日后，大家坐在一起吃早饭。天气晴朗，蚊子稀少。我说起这件事，表示今日要入宋凝梦中，修正一些遗憾，看小蓝是不是可以和我一道。

　　因来姜国的这一路实在太过顺利，致使他毫无机会施展身手，一颗拳拳之心必然深感遗憾，此次随我入梦，势必发生诸多不可预见之事，总有机会救我于水深火热之中，正可弥补他的缺憾，也实现十六天四个对时零三刻钟前他对我立下的诺言。

　　我说完这一番话，在场三人纷纷掉了筷子。只是小蓝反应较快，竹筷落到一半，覆手轻易捞住，君玮和执夙则不得不请一旁的仆从帮忙重新换一副。

　　君玮吃惊于我邀请小蓝入宋凝的梦却没有邀请他，而他才是君师父安排一路保护我的剑客。

　　但我这样选择着实别有苦衷。因君玮虽号称剑客，本质上其实还

是个写小说的，常常在打斗途中突发创作灵感，而这时，他往往会自行决定结束打斗，找一个僻静之所进行小说创作，把同伴彻底遗忘在敌阵之中。

这就是为什么小黄身为一头人工养殖的老虎，在某些时刻却能比野生老虎还凶残的原因。它已记不得被灵感突发的君玮多少次默默遗忘在刀丛箭雨中了。由此可见，如果命不是特别大，找君玮保护的风险就特别大，因……灵感是如此的不可捉摸，灾难……也如此的不可捉摸，有了多余选择，连小黄都不会选择君玮，遑论身手不那么好的我。

我心中虽是如此想法，却不能打击君玮的自尊心，想想对他说："主要是你得留下来保护我的琴啊，你看，要是大家都入了宋凝的梦，谁乘机跑出来毁了我的琴，那该怎么办？"

君玮听后神色一顿，沉思一番，深以为然，转头一句一句嘱咐小蓝："虽然你们去的目的地是阿拂为宋凝编织的幻梦，但在梦中，你和阿拂是真实的，你们受伤便是真正的受伤，死亡也是真正的死亡。万事小心，你死了没什么关系，千万要护住阿拂。"

小蓝没说话，手中竹筷夹起蒸笼里最后一只翡翠水晶虾仁饺，我咽了咽口水。竹筷停在半空，他好看的眉眼扫过来，似笑非笑："君姑娘喜欢这个？"

我望着他筷中饺子，恋恋不舍地摇了摇头。

竹筷却灵巧地转个方向，转眼饺子置入我面前碟中，碧绿的竹色衬着晶莹的饺子皮，他执筷的姿势是贵族门庭中长年规矩下来的优雅严整。

对于这个饺子，我其实并无执念，只是生前爱好，如今见到，忍不住怀念曾经味道，而因没有味觉，即便此时吃下，也如同嚼蜡，既然如此，无须浪费，就又把它夹到他碟中。

筷子正位于汤碗上空，君玮一声怒吼："你们在干吗，有没有听到我的话？"

我被吓得一抖，只见饺子迅速坠入汤里，小蓝顺势将我往后一拉。啪的一声，汤花飞溅。

君玮愤怒地将我望着，雪白的外袍上满是菜汤。

小蓝瞧着君玮，一本正经道："君兄弟说的话，在下都记得了，在下死了没什么关系，千万要护住君姑娘。"

君玮咬牙切齿："不用护住她了，你现在就把她弄死吧！"

我说："这样，不好吧……"

小蓝似笑非笑看我一眼，正要表态，静默很久的执夙突然出声："姑娘竟懂密罗幻术，东陆已多年不曾……"

话未说完，被盛怒的君玮打断："她家境贫寒，学点幻术聊以赚钱，有什么好大惊小怪的？"

执夙脸上出现古怪神情。

小蓝含笑看我："家境贫寒？聊以赚钱？"

我看君玮一眼，端详他表情，觉得不好拂逆他给我的设定，点头道："嗯……"

执夙："……"

小蓝："……"

吃过早饭，君玮回房换衣服，执夙不知道去做什么，留我和小蓝在花厅等待。我坐在紫檀木的椅子上冥想，怎样让幻梦中的沈岸爱上宋凝。华胥调织出的幻梦被称为华胥之境，华胥之境只是过去重现，宋凝所说的想象中的沈岸，其实做不出来。

我和小蓝进入宋凝的华胥之境，为的是改变她的过去，让已经发生的痛苦之事不能发生，使她在幻梦中长乐无忧，只是怎能长乐，怎

能无忧，若心中还有想望，那便是痛苦之源。

我想，也许我们可以在苍鹿野的那场战争中将宋凝绑架，这样她就不能去救沈岸，沈岸死在那个时候，正死得其所。但这和宋凝的期望天差地别，我又想，要不要干脆赌一赌呢？

正在内心纠结缠斗之时，小蓝打断我的冥想。他端详我的七弦琴，良久，道："方才君姑娘说此琴若毁，会有大麻烦？"

我心不在焉道："嗯。"

他饶有兴味道："怎样的大麻烦？此琴若毁，靠弹奏它而织出的华胥之境便会即刻崩塌吗？"

我愣了一下，不知道为什么他会有如此可怕的想法，摇头道："没有啊，只是此琴若毁，我就得花两个金铢再买一张。"

他看着我，不说话。

我也看着他。

空气一时寂静无声。

半晌，他漂亮的眉眼突然绽出笑容，那笑容好看得刺眼了。

他笑着道："君姑娘这样，真像我认识的一个小姑娘。"

我听到这句话，其实心中略为不快了一下。就像我在清言宗生活时，听说山下刘铁匠为了哄老婆开心，夸奖老婆长得像大晁著名女戏子张白枝，结果被老婆操着铁锹追赶了七条街。张白枝虽然倾国倾城，而刘大嫂六尺身长足有两百二十斤。

其实天下女人皆同此心，但求独一无二，不求倾国倾城。我想，如果将来我的夫君说出小蓝今日这番话，我一定要让他跪搓衣板。想完后觉得这个想法真是多余，假如将来我也能有夫君，只能是君玮，而君玮此人跪搓衣板从来不长记性。

辰时末刻，一行四人加一头老虎，一同来到约定的水阁。

宋凝气色比两日前好上许多。高高的髻，绢帛剪裁的花胜牢牢贴住发鬓，银色的额饰间嵌了月牙碧玉。隐约记得在何处见过她如此模样，想了半天，回忆起两日前透过华胥调，我看到新婚那夜，她便是做此打扮，只是那时身着大红喜服，而今日，是一身毫无修饰的素白长裙。

我说："你这样……"

她笑道："总是要收拾得妥帖些，才好去见他。"

我知道她说的他是谁。是她爱上的那个沈岸。黎庄公十七年冻雪的冬天，玉琅关前，那个沈岸五招便将她挑下马来；苍鹿野的雪山里，那沈岸对她说："若姑娘不嫌弃，待在下伤好，便登门向姑娘提亲。"

宋凝这一生最大的错，就在于只经历了沈岸一个男人，所以失去他仿佛失去一切，到死都不能释然。假如她同时拥有多个男人，失去他搞不好只是减轻私生活负担。理智及时制止我不能再继续想下去，再想下去，这个故事就会演变成一篇女尊文。

宋凝对我说："君拂，倘若我还祈望和洛儿团聚，会不会太贪心。若他活着，下个月正是他六岁生辰，我不知道若他活着，如今会长成什么模样，但他活着那时候，是极可爱的。"

我将包着七弦琴的布帛打开，低声宽慰她："我来这里，本就是为实现你的贪心，我会让你们团聚的。我们先出去，你且躺着好好睡一觉，待你睡着，我就来给你织梦。"

宋凝和衣睡下。她的一番话，终于坚定了我的信心，我想，我还是要赌一赌的。

荷塘中一池碧色莲叶，几朵刚打苞的莲花点缀其间，仆从在塘边架起琴台。我试了试音，看见君玮捂住耳朵，他不知我今非昔比，琴

艺已大有长进。

我从前不爱学琴，因不知弹给谁听。师父上了年纪，每每听我琴音不到一刻钟就要打瞌睡。君玮则是一看我弹琴自己也要拿琴来弹，而我每当看见他的手指拨弄琴弦，就会情不自禁产生把手中瑶琴掼到他脑袋上的暴力想法。

此后，慕言出现，纵然我不知道他的模样，不记得他的声音，但月光下他低头抚琴的身影却从未忘记，还有那些袅袅娜娜、从未听过的调子。记得有一句诗，说"欲将心事付瑶琴"，我后来那样努力学琴，只因想把自己弹给他听。

亘时二刻，日头扯破云层，耀下一地金光，我弹起宋凝的华胥调。本以为她如此刚强的性子，又戎马三载，持的华胥调必是金戈铁马般铿锵肃杀，可乐音自丝弦之间汩汩流出，凄楚幽怨得撕心裂肺了。

华胥调是人心所化，以命为谱，如此声声血泪的调子，不知宋凝一颗心已百孔千疮到何种程度。再如何强大，她也是个女子，没有死在战场上，却败在爱情里。

拨下最后一个音符，莲塘之上有雾气冉冉升起，模糊的光晕在迷离雾色中若隐若现，是只有鲛珠之主才能看到的景致。

小蓝凝望远处假山，不知在想什么。我从琴案边站起，两步蹭过去，一把握住他的手。他诧异地看我一眼。

我正要解释，君玮已拔高嗓子："男女授受不亲……"

我说："男女授受不亲你个头，不拉住他，怎么带他去宋凝梦中？"

小蓝没有出声。

我保持着握住他手的姿势。

因我已不是尘世中人，男女大防对我着实没有意义。但被君玮提醒，也不得不考虑小蓝的想法和他的女护卫执夙的想法。可除了拉着他以外，也没有别的途径可以带他入宋凝的华胥之境。

执夙神色惊讶，嘴巴张到一半紧紧合上，比较而言，小蓝就没有出现任何过激反应。我觉得还是直接征求他的意见，斟酌道："我拉一会儿你的手，你不介意吧？"

他平静地抬头看我，挑眉道："若我说介意呢？"

我也平静地看着他："那就只有等我们从宋凝的梦里出来后，你找把剑把自己的手剁了。"

君玮说："如此甚好，真是个烈性男子。"

我说："甚好你个头。"

小蓝微微翘起唇角："说笑了，君姑娘都不介意，我怎么会介意。"

他的这个笑，陡然令我有些恍惚。但此时正办正事，容不得多想不相干的东西。我拉着他纵身一跃，跳进荷塘里雾色中的光晕。如果有不相干的外人经过，一定以为我们手拉手跳水殉情，同时君玮、执夙、小黄在一旁和我们挥手作别，就像殉情时还有一堆亲人送行，真不知道叫外人们作何感想。

光晕之后，就是宋凝的华胥之境。所处之处是一座繁华市镇，天上有泛白冬阳。远处可见横亘的雪山，积雪映着碧蓝苍穹，有如连绵乳糖。寒风透过薄薄的纱裙直灌进四肢百骸。

鲛珠性寒，我本就畏寒，被呼呼的风一激，立刻连打几个喷嚏。诸事准备妥当，却忘记现实虽值五月初夏，此时在这华胥之境，正是腊月隆冬。我哆嗦着道："你带钱没有，我们先去成衣店……"话没说完，面前出现两领狐裘大氅。

我难以置信地看向小蓝。

他将红色的那顶放到我怀中，自己穿上一顶白色的，看着我目瞪口呆的模样，道："用早饭时听君姑娘说起，沈夫人救沈将军时是个寒冬，便让执夙去准备了两套冬衣，没想到还真用上了。"

我搂着狐裘一边往身上套一边赞扬他："小蓝，你真贴心。"

他立在一旁悠悠打量我，道："一般贴心。"半晌又道，"穿反了。"

"……"

穿戴完毕，我同小蓝说起我的想法。我们来的这个时候，大约正是宋凝将沈岸从尸首堆里翻出来，陪他待在苍鹿野一旁的雪山山洞中。

其实一切都因沈岸认错人，虽然不能保证倘若他醒后第一眼所见是宋凝而不是柳萋萋时，会不会像钟情柳萋萋那样钟情宋凝，但，赌一赌嘛。我画了个鱼骨图进行分析，觉得第一要让宋衍派出来找寻宋凝的手下离开镇子，才能使宋凝安心留下陪伴沈岸就医；第二要让沈岸从头到尾都见不到医馆里的哑女柳萋萋，才能从源头上扼杀他们眉眼传情的可能性。

小蓝认为这很好办，把宋凝他哥的手下和柳萋萋一概杀了就万事大吉。提出这个心狠手辣的建议时，他脸上一派淡淡表情，仿佛杀个把人就像踩死蚂蚁一样容易。

其实我也觉得这样省事，只是这是鲛珠编织的幻境，鲛珠靠吸食美梦修炼自身法力，固然梦要美好必须人为引导，但在这引导过程中肆意制造血光之灾，却并不利于鲛珠修行。换言之，杀了幻境中的柳萋萋等人，我拿到宋凝的命或许可以撑着自己再活一年半，但不杀他们，我拿到宋凝的命可以撑着自己多活三年。所以我觉得，不到万不得已，还是不要大开杀戒为好。

也许在这个幻境中，为了实现对宋凝的承诺，我终归会杀掉一个人，但这是做生意不得不付出的代价，就是所谓的万不得已。

我对小蓝说："我们还是不要选择这么激烈的方法，用些温和的方法吧。能在言语之间就解决的问题为什么非要用上冷兵器呢？这多不文明啊。"

小蓝沉吟道："照你这样行事，不嫌拖沓吗？"

我淡淡道："谁叫我是个善心的好姑娘呢。"

小蓝没有理我，径直上了旁边的酒楼。

我问了下路人，这是小镇上最大的酒楼。

到达二楼，只有靠窗一张桌子还空着，于是坐下。

我对酒楼的靠窗位置一直心生向往，因在传说中，靠窗位置总是坐着神奇人物。如果是爱情传说，坐的不是皇帝就是王爷，如果是侠客传说，坐的不是盟主就是教主。

这些神奇人物到酒楼用饭基本上只坐窗边，修长手指端起净白酒盏，留给众生一个侧面，在传说中美轮美奂。

我前后观望一番，问小蓝："偌大一座酒楼，为什么只有我们这处空着？"

他一边斟茶，一边抬了抬下巴。

我没看懂他的意图，揣摩道："难道真的是传说中的位置只能由传说中的人坐，大家普遍觉得自己不是传说，所以才自动将它留着？哈，大家真是太自觉了。"说完打了个喷嚏。

小蓝腾出手来指了指一旁的窗户："窗户坏了，关不了。"

我不明所以地望着他："啊？"又打了个喷嚏。

他将热气腾腾的茶盏递给我，慢悠悠地："外面风这么大，要有多余的位置，我也不愿意坐在这个风口上。"

我说："这个……"话到此处，恰到好处地再次打了个喷嚏。

小二很快过来点菜。小蓝温了一壶酒，此外还点了什么菜色我没注意，只是不经意间听到翡翠水晶虾仁饺。我在沉思中分神道："早上

也吃的翡翠水晶虾仁饺，还是换个菜吧。"

小蓝道："你不是挺喜欢吃这个吗？"

我说："我无所谓的，关键是看你喜欢什么。"反正我吃什么都是一个味道，那就是没有味道。

小蓝抬头看了我一眼，小二嘴甜，赶紧道："姑娘真是善解人意。"

我赞同地嗯了一声，继续陷入沉思。沉思的问题是如何兵不血刃将宋衍的手下引出镇子，而这件事首先是要在茫茫人海中找到哪些人是宋衍手下。

虽然透过宋凝的华胥调，我隐约看到过他们的身影，但隔得太远，只能辨识出是几个虎背熊腰的彪形大汉。这镇上彪形大汉如此之多，我总不能挨个儿地问人家："大哥，是黎国军队出来的吧，有个事儿，你妈妈喊你回家吃饭。"这样效率就太低了。

酒很快上来，小蓝端给我，正欲接过暖手，他却握住酒盅，并不放开。我伸手去拽，他古潭般的眸子幽幽道："我不过与那姑娘指了指路，你怄什么气？"

我愣了半天，莫名其妙："啊？"

他皱起眉来，冷冷地："又装糊涂，我最恨的就是你和我装糊涂。"

我指着自己鼻子："你是和我说话？你说什么姑娘，我……"

他截住我的话头："方才持枪的那位姑娘，紫衣，高个儿。自我夸了两句她手中的兵器，你和我说话就不冷不热的，还不承认自己在怄气，你在怄什么气？"

我没搞懂状况："怄气？我没怄气啊。"

隔壁桌几个汉子突然哈哈一阵笑，起哄道："哪里的醋罐子打翻喽，兄弟，你这相好的是在喝醋呢，谁叫你当着她的面夸别的姑娘，哈哈哈……"

我依然没搞懂状况，但被他们这么一闹，酒楼里大半客人的目光都被吸引过来。

我说："紫衣姑娘，高个儿，还持枪？"

他不理我，径自握住我的一双手，方才还冷冷的眉梢眼角突然漾出含蓄的笑，轻轻道："果真吃醋了？"

我不动声色地把手抽出来，道："果真没有吃醋。"

小蓝放开我的手，没有强求，因桌旁不知从哪里冒出一堆人马，当着这么多人的面，猜想他着实不好强求。

这堆人马皆着姜国服装，口音却带着从黎国边地催生出来的直爽，一听就知道是乔装改扮。打头的那个朝小蓝抱一抱拳："兄台方才说见着一位高个儿拿枪的紫衣姑娘，还同那姑娘指了路。敢问兄台，那紫衣姑娘是要到何处？"

其实自打这堆人马出现，我即刻就参透小蓝的意图。他口中的紫衣姑娘特征明显，只要和她有过一面之缘，就不会认不出那是宋凝。

他杜撰出一个各方面特征都和宋凝无二的姑娘，做这一场戏，只为顺其自然将寻找宋凝的这帮人祸水东引。而我想通这一点，再观察小蓝表现，就情不自禁地有点目瞪口呆。他此时脸上正出现戒备神情，警惕打量着面前几个人："那紫衣姑娘同你们有什么干系，你们要做什么？"就像他果真遇到一个紫衣姑娘，虽是萍水相逢，却对她欣赏有加，害怕面前这一堆人是她仇家，情不自禁就要维护她。

一堆人马面面相觑，打头的为难道："实不相瞒，兄台遇上的那位紫衣姑娘八成是我们离家出走的小姐。小姐离家出走，少爷十分担心，派了我们兄弟几个出来寻她，我们小姐这一路前往了何处，还望兄台如实相告。"

我心中说告吧告吧，随便瞎指一个地方让他们找去，但小蓝只是露出狐疑神色。

转念一想，立刻明白，他心中肯定也很渴望说出接下来的台词，好将对方引到镇外去，但为了不叫他们怀疑，特地压抑心中所想，使出这一招欲擒故纵，就是为了让他们更加坚信，他下的这个套确实不是一个套，他很真诚。但经验告诉我们，越是真诚的套子其实越能套住人。

对方果然坚信，郑重道："兄弟几个这一趟出来委实只为找寻家中小姐，兄台尽可放心。若那位紫衣姑娘不是小姐，兄弟几个也断不会为难她。若违此誓，天打雷劈。"

小蓝探究地观望打头的表情，半天，道："既是如此，若妨碍阁下找人也是一桩罪过……一个对时前，我们在石门山山脚遇到那紫衣姑娘，她同我打听汤山里姓荆的剑客，说要去拜访这位剑客，问起汤山该怎么走。"

短短一句话，表情包含诸多内容，有说与不说的挣扎，有终于说出的茫然，还有说出来不知道会有什么后果的无奈。演技精湛到如此田地，不入梨园真是可惜。

他刚说完，打头的立刻沉吟道："确然是小姐的作风。"抬头朝我们抱一抱拳，带着一堆人马，风驰电掣般迅速消失在二楼楼梯口。

望着他们远去的背影，小蓝很敬业地以茫然里略带愁闷的表情相送很久，直到透过关不上的窗户发现他们消失在茫茫地平线尽头。我转过头来，看着小蓝恢复平日神情，一派悠闲地执起酒壶来自斟了一杯。

我觉得自己有很多话想问，眼前小蓝让我看到不一样的一面，绝不是当初被女人刺伤后在床上一躺就是两天的颓然。其蜕变就像种下一棵葡萄结果结出一个葡萄柚。

但只是在原有基础上进行综合和提高，没有结出榴莲或者火龙果，即便令人惊诧，也似乎并没什么不妥。

我坐到他对面，假装漫不经心道："石门山、汤山，你对周围地形挺熟嘛。"

小二上了个姜汁鸡条，小蓝边观察姜汁成色边道："七年前苍鹿野之战我略有耳闻，闲时研究了下，顺便了解了点周围地形。"

我说："那你又怎么知道宋衍的手下一定是在这个酒楼？"

他端起酒杯慢悠悠道："他们此行是办公差，吃住路费都是公家掏银子，正是午饭时间，那必然是来这家全镇最贵的酒楼。你见过哪个出来办公差还帮公家省银子的？"

我一想，还真是如此。

我当卫国公主时，被父王封号文昌，在传说中，成为卫王室最聪明的聪明人。虽然传说中的事多半都不是真事，但在卫王宫中，和众人一比，我对自己的聪明还是有几分自信的。可今日种种，与小蓝一比，立刻相形见绌，难道说明卫国亡国，并不是天灾人祸，一切皆是因王室智慧普遍低下？

小蓝说："你这个表情，在想什么？"

我说："在想很多传说，其实并不那么传说，只是被大家众口相传，就显得很传说。传说基本上不发生在现在，只发生于过去未来，存于虚幻，其实并无意义，一切都是错误估值，但越是错误估值，仿佛价值越大，而实际上价值果然越大，真是令人没有想法。"

小蓝表示没有听懂。

我说："其实就是……"

他打断我的话，道："先吃饺子吧，吃完再说。"

于是我们开始吃饺子。

而我吃完饺子，已然忘记方才心中所想。

第五章

冬风化雨，顷刻滂沱。天地连成一片，远处有朦胧雪山。虽然我和小蓝对冬天为什么会下雷阵雨这件事尚存有疑虑，但除了买两把雨伞以外，也没有其他解决办法。

半个时辰前，我们从对街摊烙饼的大娘口中了解到柳婆婆行踪，得知这个时节她正在雪山中采收可入药的雪莲子。根据烙饼大娘描述，柳婆婆是当世神医柳时义老先生唯一的孙女，性情柔顺，乐于助人，医术高明，长得还好看，唯一缺点只是口不能言。

但我和小蓝均表示没有听说过这位当世神医柳时义，只听过海外有个唱戏的，名字音译过来叫柳时元。

当地人入雪山，只有一条道，大娘指给我们这条道。作为报答，我让小蓝买了十个烙饼当作沿途干粮。但前去雪山的道路着实太过近便，完全没有利用到这些干粮的机会，就此扔掉又太过可惜。我跟在小蓝后面边走边啃，妄图以此减少一些肩上负担。

路行至一半，雨势渐小。我问小蓝："你怎么不问问我找到柳婓婓后，下一步作何打算呢？"

他头也没回，淡淡道："难道不是先行将她绑了，待到沈氏夫妇离开此地再将她放出来吗？"

我点头道："刚开始确实是这么想的，但命运这玩意儿实在太剽悍，我还是有所担心。万一终有一日柳婓婓还是碰到沈岸，爱上沈岸，引出一堆比现实还麻烦的麻烦那该怎么办？我这趟生意不就白做了？"

他的声音悠悠飘来："于是？"

我两步追上他的步伐，和他肩并着肩，道："其实你想，如果柳婓婓在见到沈岸之前已对他人种下情根，且情深不悔，即便此后终有一日见到沈岸，也断不会再有什么特别感觉。如此，不管沈岸和宋凝结局如何，都算宋凝的梦想圆满了一半，我的生意也做成了一半了。"

他终于停下脚步，转身将油纸伞微微抬高，似笑非笑："所以？"

那一刹那，似乎雨中飘来清冷梅香，盈满狐裘，盈满衣袖，多半是记忆中难以磨灭的幻觉。

因那时也是这样一个雨天，天上的无根水像珠子一样砸下来，我在生命流逝之时看到撑着六十四骨油纸伞的男子向我走来，走在卫国的大雨中。他将伞微微抬高一些，血水模糊了我的眼睛，看不清他的容颜。我常想那是临死的幻影，至今也不明白事实是否如我所想。

我郑重道："小蓝，我已想好一个万全之策，保管让柳婓婓对你情根深种，你愿不愿意帮助我？咳，当然这个全看你自愿，你要不愿意那就算了。"

他道："哦，那就算……"

天上细雨夹杂雪花，以一种诗意扑向大地，我说："这是雨夹雪吧，这个天，真是，对了，听说你身手很好的？那不用我带着也晓得

该怎么走出这华胥之境了？嘿，其实走不出去也没什么，这个地方，你看，也挺好的。话说回来，你刚才想说什么来着？"

他看我良久，我坦然地摸出一个烙饼继续啃着。

半晌，他不动声色道："我是想说，这么一件小事，着实算不了什么。君姑娘既已有了万全之策，就照君姑娘的办法来吧。"

我点头道："好。"

他补充道："只是……"

我好奇问他："只是什么？"

他笑道："我倒是无所谓，柳萋萋于我，左右不过一个幻影罢了，只是，即便柳萋萋爱上我，难保她看到沈岸不移情别恋。"

我递给他一面镜子："来，对自己的长相有信心点。"

"……"

进入雪山，雨收风停。我们埋伏在柳萋萋必经的道路上。不多时，果然看到远方出现跟跄人影。我连忙道："照计划行事。"率先跑出雪堆，跑到那人影跟前。待看清她的模样，却不由得愣住。女子发丝凌乱，衣衫单薄，背上背了裹着绒袍的高大男子，身姿被压得佝偻，仿佛全靠手中杵着的长枪才勉强挺住，没直接趴到雪地上。

我认得她，七年前的宋凝，尽管那绝色的一张脸如今沾满泥雪污痕，丝毫看不出绝色痕迹。在此遇到，其实也是缘分，只是她不是我现在要找的人。我克制住满腔惊讶，假装自己只是路人，若无其事同她擦肩。

她紧紧握住手中长枪，斜眼能看到发白的手指，喑哑难听的声音突然在空旷雪野响起："姑娘请留步，姑娘可是住在这雪山当中？能否请姑娘告知，该如何才能走出这座雪山，如何寻到医馆？我……丈夫危在旦夕，再在山中耽搁，怕……"

我左顾右盼地打断她："后头有个穿白狐裘的男的，你去问他，我对这儿不熟。"说完飞快地冲到她后面，眨眼就消失在十丈开外。其实并不是不愿帮助她，因着实已经忘记来路，跑得这么快也自有原因，因视线尽头终于出现我要找的人——柳氏蓁蓁。

就在宋凝说到她丈夫如何如何时，柳蓁蓁从一条夹道转出，向左拐进另一条夹道。从背影看穿着厚实冬衣，还背着一只采药的背篓。我一边追她一边分神遐想，比起她来，宋凝其实更接近雪山出口，七年前之所以在柳蓁蓁回到医馆后才背着沈岸找到医馆，多半是临近出口时一不留神迷了路。

眼看离柳蓁蓁只有几丈远，我琢磨着差不多可以开口，啪的一声抽出腰间小匕首，边喊"此山是我开此树由我栽要想从此过留下买路财"，边朝弱质纤纤的柳蓁蓁扑过去。

我本来和小蓝商量此时他就可以英雄救美，在我对柳蓁蓁将扑未扑之时，忽然从天而降，一掌将我劈到一边去，另一掌扶起吓倒在地的柳蓁蓁，温柔一笑："姑娘，没被吓到吧？"这样柳蓁蓁必然对他刮目相看，因我差不多就是这样爱上慕言。但我们计算很久，算到开头，算好过程，连结果可能呈现的多元化都一一考虑，就是没算到这条小道濒临山崖，雪路湿滑。我在奔跑过程中不小心掉下一张烙饼，扑过去时一脚踩中，踩着滑了起码两丈远，咚的一声就把柳蓁蓁利落地推下了山……

我茫然趴在崖边凝望崖下，小蓝不知何时出现，蹲下来陪我一同凝望。但崖下茫茫一片，今日柳蓁蓁又穿一身飘逸的白裙袄，极易同积雪融为一体。

我急得都快哭出来了："你怎么不早点出现啊，你看我就这么把柳蓁蓁给杀了，这生意多划不来啊。她用不着死的呀，可怜她掉下去连吱都没来得及吱一声呀……"

小蓝将我拉起来，轻飘飘道："不挺好的吗，现在什么事儿都没了，咱们可以回家睡觉了。"

我急道："不行，我刚才没听到'啪'的一声，万一柳婆婆被树丫网住了没死成呢？你别拦着我，我得再看看。"说着继续往地上扑。

我没想到小蓝会松手，我本来以为他拼死都要拦着我，但他却松了手，在我最没有防备的时候。其实也不能这么说，这么说容易造成歧义，我只是还没准备好，但他似乎总是快我一步。

没准备好的结果就是劲头使得太大，在神志清醒的状态下也无法将力道重新控制，以至于他一放手，我就沿着柳婆婆跌倒的路线直直栽下去。只听他在后面喊了声阿拂，我已经身轻如燕地飙出山崖快速坠落。我想起师父生前同我和君玮讲学，说起十斤的铁球和一斤的铁球放在同等高度使其坠落，结果两球同时触地。

我看着随之跳下来的小蓝，觉得简直令人惆怅，根据铁球定律，他这样怎么可能赶上我从而拉住我呢？

其实，若体内鲛珠没有摔碎，我就不会死，或者说再死也死不到哪里去，所以从崖上坠下才无半点惶恐。而小蓝这样凡身肉胎，能有此种胆色跳下万丈高崖，真是有精神分裂的人才能做出，这不是自寻死路吗？

想到此处，放鲛珠的地方突然动了两动，一时间陡然惶恐。我张嘴想喊个什么，嗓子却像被狠狠卡住，半点声音也不能出。眼前只有一片茫茫白色，那白色漫进我的眼睛，漫进我的心胸。身体就在此时被稳稳托住。软剑划过冰块，发出一阵刺耳嘶鸣，小蓝右手握住插在冰壁上的剑柄，左手紧紧抱住我，侧脸抵住我的额头。

我们吊在半空中半天没动，半晌，他的声音从头上慢悠悠传来：

"君姑娘好胆色，命悬一线之时，还能镇定如斯，寻常姑娘们这时候不都吓得浑身发抖吗？"

我说："我也发抖，只是默默地在内心发着抖。"为了增加可信度，还用双手搂住他的脖子。这真是一个高难度动作，我听到软剑刺啦一声，小蓝蹬住冰壁借力，抱着我鹞子一般往上一腾，其间有三次在冰壁上借力，风声在我耳边吹过，他的衣袖像晴好时天边的浮云。

还没反应过来，我们已重返地面，我被他几腾几挪的晃得头晕，蹲在悬崖边上揉脑袋。他却像个没事儿人，伸手将我拉得离悬崖边远些，不知想到什么，抚额道："你也知道这是个幻境，在幻境中误杀一个幻影，却打算一命抵一命地把自己赔进去，不知道该说你傻还是实诚。"

我想这真是天大的误会，但也不好解释，因鲛珠续命之事着实不足为外人道，既然如此，不如就让这个美好的误会继续美好下去。

我仍然蹲着揉脑袋。

他也蹲下来："怎么了？"

我实在不好意思说自己被晃了几下就头犯晕，只好道："没什么，就是被这么一吓，肚子有点饿了。"

他说："还有烙饼，那吃点烙饼吧。"

我突然想起一件重要事情，忙拉住他："你是怎么打破铁球定律追到我的啊？"

他抬头："那是什么？"

我说："这个事说来话长，其实就是……"

他打断我："先吃饼吧，吃完再说。"

于是我们开始吃饼。

但吃完后已不记得刚才要说什么。

我们在山中逗留两日，因小蓝觉得时机难得，平时很少来黎、姜两国边境溜达，既然来了，至少要熟悉熟悉周边地形，才显得不虚此行。这是军事家的思维。

如果此次是君玮陪同，就会要求我们立刻出山找家客栈宅两天，方便他进行文学创作。这是小说家的思维。我跟着小蓝勘探地形，那些复杂地段无论走多少遍都头晕，他却能毫不含糊地立刻画出地形图。我看着他，觉得世界上没什么东西是他不会的。但只维持半刻就推翻了这个想法，我突然想起他不会生娃。

两日后，晴好天色再度落雨，卡着七年前这一夜沈岸醒来的时辰，我和小蓝撑着伞一路慢悠悠晃到医馆。此行只为看看沈岸醒来时见着宋凝会有什么反应。我其实心中惶惶，不知用职业操守同自己打的这个赌，到底会输还是会赢。他们的缘分隔着国仇家恨，我不知沈岸是否同我一样，国仇和私情公私分明。

夜阑人静，我轻手轻脚凑到医馆雕花的木窗外，点开细薄窗纸，观察室内景致。小蓝一把将我拉开，拖到僻静处："你这是偷窥吧？"

我挣开他的手："哪里就是偷窥了，你不要把我说得这么龌龊，只是偷偷地窥一窥嘛。"

小蓝抄手看着我。

我摸了摸鼻子："你要不要也来偷偷地窥一窥，独窥窥不如众窥窥，一起偷窥吧？"

小蓝无力揉了揉额角："你一个人偷窥吧，小心点。屋里两个的身手都是首屈一指的，惊动了他们你就倒霉了。"

于是我欢快地跑去偷窥了。

透过点开的窗纸，屋中寒灯如豆，一切皆是过去重现，只是原本的女主角柳萋萋已被我不小心推下山崖，守在沈岸床前的女子换成了宋凝。

她正凝神端详沈岸沉睡的脸庞，那样近，高挺的鼻尖几乎触到他紧闭的唇。我想，要是我就给他亲上去。刚想完，宋凝不愧将门虎女，头一低，果然亲上去了。因是侧面，我视力又着实太好，清楚看到她闭上双眼，睫毛轻颤，细瓷一般的脸庞上泛起一层薄红，而沈岸在此时睁开眼睛。

夜雨淅沥。他抬起手，搂住她的背。她猛地一惊，挣扎着从他身上起来，他却不放开。他仔细地看她，目光扫过她蓬松的黑发，扫过她的眉毛眼睛。良久，苍白英俊的脸庞上浮出莫测笑意，他说："我认得你，宋凝。"

她眼中闪过慌乱神色，却在顷刻间镇定。她微微仰起头，不说话，只是想和他拉开距离，大约是女子的矜持。我明白她，她既希望沈岸知道她是宋凝，又害怕沈岸知道她是宋凝。因宋凝不只是宋凝，还是黎国大将军宋衍的妹妹。

沈岸紧紧扣住她："宋凝，为什么要救我？"声音听不出喜乐。他的模样，全然没有当年初见柳萋萋的宽容温文。

手心都捏出冷汗，果然是我赌输，果然注定他今生无法爱上宋凝，即便在幻境中也如此。

宋凝发了狠要挣开："你别以为我多想救你，我只是被你打败，我不甘心，在我打败你之前，你不能死，我绝不让你死，我只是不甘心。"

我不忍心再看下去，分析沈岸性格，已能推测事情的发展趋势。正想离开和小蓝另行商议，突然灯火一晃。烛光定住时，床上已变成沈岸上宋凝下的姿势。我托住下巴没让它掉下去，看到他将她牢牢抵在床榻之上，完全看不出重伤未愈。他困惑道："那你刚才是在干什么，宋凝？是在用嘴帮我打蚊子吗？"

她脸上绯红一片，登时无言。

他用手拨开她脸上散乱发丝，抚摸她额角鬓发，轻声道："我一直在想，救我的姑娘会是长得如何模样，原来你是这个模样。为什么从不说话，为什么不告诉我你是玉琅关前的宋凝？"

眼泪滑落到宋凝眼眶，她抱住他哇的一声大哭起来："为什么我要告诉你，你一定不想我救你，你一定讨厌我，连碰都不愿意碰我。你醒了，你醒了就好，我回黎国了，你说你要娶我，就当你开玩笑好了，反正我没有当真过。"

他哭笑不得地看着她，轻轻拍她的背："你以为你救下我，很容易吗？你以为我动一次心，很容易吗？"

她哭得更凶："你说谎，你才见到我，才知道是我。"

他吻她的眼睛，害她哭都哭得不利索："你说得对，我才见到你，才知道是你，我爱上救我的姑娘，却不知道她长的什么模样。"

七年后的宋凝，总像是捏着情绪过日子，本以为性情使然，今日才明白只是这七年里，她想要撒娇的那个人从不理会她而已。

她也有这样的时刻，会大喜，会大悲，她只给心中的良人看这副模样，这才是天真的、真正的宋凝。

我从窗前离开，小蓝撑着伞立在院中观赏一株花色暗淡的仙客来。这种花本来就不该种在雪山连绵之地，存活下来实属罕见，还能开花，真是天降祥瑞。

我绕过小蓝，绕过篱笆。他不紧不慢地踱过来，将伞撑到我头顶："他二人，如何了？"

我咧出一个笑："我赢了。"

雨打在伞顶上，发出悦耳的咚咚声。他瞟我一眼："可你看上去并不大高兴。"

我说："其实也不是不高兴。只是今夜看到幻境中所发生之事，才明白若七年前没有那桩误会，宋凝和沈岸其实能过得挺好，不会搞到现在这个境地，有些感触而已。

"这个感觉吧，就类似于你去青楼找姑娘，但姑娘不愿陪你，你一直以为是自己长得太抱歉，搞得姑娘不喜欢你。若干年后突然了解到，原来并不是姑娘不喜欢你，姑娘其实觉得你长得挺俊，挺愿意和你成就一番好事，只可惜你倒霉，姑娘那天来葵水，硬件设施愣是跟不上去。"

他看着我，似笑非笑："君姑娘……"

我打断他的话："你是不是想说我童言无忌，我其实内心挺保守的，如今说话这么不避讳，只因前十七年活得太过小心。如今我孑然一身，自然想说什么就说什么，没理由憋着给自己找不痛快。"

他沉默半晌，道："君姑娘今晚，似乎有些反常。"

我看着远方天色，黑黢黢的，问他："小蓝，你说什么是假的，什么又是真的？这幻境之中看似圆满无比，却饶不过现实中的惨烈至极。我觉得，一切只是心中所想吧。若你不认为他是幻影，他便不是幻影，在我为他们编织的这个世界，他们是真的，哭是真的，笑是真的，情是真的，义是真的，反复无常是真的，见异思迁也是真的。人心所化的华胥之境，虽向往美好，本身却是很丑恶的啊，没有一颗坚强的心，无论是现实抑或幻境，都无法得到永远的快乐。而倘若有一颗坚强的心，完全可以在现世好好过活，又何必活在这幻境之中呢？"

这番话看似有条有理，逻辑严密，其实说到后来，回头想想，我完全不知道自己在说什么。

小蓝思考半晌，问我："于是你要表达的中心思想是……"

我说："我不想做这桩生意了，宋凝和沈岸终不能走到一起，并非天意为之，若她愿意，其实还可以搏一搏，这样死在这幻梦中，实在太不值得。"

其实我也挣扎过片刻，因作出这样的决定，帮宋凝看透心魔走出幻境，我这一趟就白忙活了。但继续想想，觉得日子还长，有鲛珠顶着，我至少还能活三年，三年，一千多天，来日方长，说不定有更好的生意。

小蓝看我半天不说话，提醒道："你打算，如何？"

我心中已作好决定，抬头道："我在等待一场大战，一场血流漂杵、遍地枯骨的大战。"

他若有所思地看着我，我坦然由他看着，突然想起一件早该和他说的事："对了，今天一直忘了跟你说，你看，我这个衣服，这个地方，我够不着，你看看，就在肩膀上，肩膀这个地方破了个洞，你这么万能，女红也能吧，你能给缝缝吗？"

他扒拉着我的衣服查看一会儿，抬眼淡淡地："万能的我不会女红，不能给缝缝。"

"……"

我同小蓝说我在等待一场大战，并不是开玩笑。我已想到自己该怎么做。华胥之境是一种虚空，华胥调的每一个音符对应虚空的各个时点。鲛珠之主在华胥之境的虚空中奏起华胥调，便能去往其中任何一个时点，置身之处，是所奏曲调最后一个音符对应之处。

曲调永远只能往后弹奏，若去往将来，便再不能回到过去。为此我考虑很久，我将完成最后一件事，好对得住自己的良心，但不知到底是快进到一年之后还是快进到三年之后。我问小蓝："按照你的经验，一对情侣，要爱得难舍难分，留下诸多美好回忆，一般给他们留多少时间来完成这个事儿比较合适呢？"雨停下来，他收起伞，漫不经心道：

"半年吧。"

第二日，我们在镇上琴馆借到一张瑶琴，琴声动处，万物在剧烈波动的时光中流转急驰。

指尖落下最后一个音符，风渐柔云渐收，枯树长出红叶，赤渡川旁大片芦花随风飘摇，是大半年后，黎庄公十八年秋初，姜、夏两国交界之处。

战争已经结束，前方一片空阔之地，正看到姜国军队拔营起寨，准备班师回朝。这正是七年之前，沈宋二人成亲九月，夏国新侯发兵攻打姜国的那一场战争，那时，宋凝送了沈岸一面绿松石的护心镜。

我一个人蹚进芦苇荡，拿出袖中备好的人皮面具，取下鼻梁上的银箔，蹲在一个小水潭旁，将面具贴到脸上一寸一寸抹平戴好。君师父是整个大晁做人皮面具做得最好的人，我这一手功夫皆是从他那里学来，但今日看着水中几可乱真的宋凝面容，我突然有一种感觉，觉得自己已经青出于蓝了……

小蓝的声音慢悠悠飘进芦苇荡："君姑娘，我说，你还活着吗？"

我拨开芦苇，扬手道："在这儿。"

他隔着芦花从头到脚地打量我："你打扮得这样，是想做什么？"

我说："去找沈岸，有件事情必须得做，你在这里等我，事成之后，我来找你。"

他看我半天，道："万事小心。"

秋阳和煦，浮云逐风。我用丝巾将脸蒙住，因绝不能让旁的人发现宋凝出现在此处。军营营门前的小兵捧着我给的信去找沈岸了。信中临摹的宋凝字迹，约沈岸在赤渡川后开满蜀葵的高地上相会。

他一定会来。

　　高地上遍布各色各样的蜀葵花，柔软饱满，秋风拂过，荡起一波
又一波浪涛。过去十七年，我虽从未来过此地，却听过关于它的种种
传说。最有名的一条，说此处自前朝开始便埋葬义士，正是义士的鲜
血浇出了满地的蜀葵，拔出它们的根闻一闻，还能闻出死者腐骨的气
息。我想，我为沈岸找了个好地方。

　　身后响起枯叶碎裂的微响，脚步声渐行渐近。我转身笑盈盈看着
他，这个宋凝深爱的幻影，深爱了一辈子，到死都无法释怀的幻影。
黑色的云靴踏过大片柔软的蜀葵花，他抱住我，紧紧的，声音低沉，
响在耳畔，近似叹息："阿凝，我想你。"鼻尖有血的气息，越来越浓
郁，我抽出扎进他后心的匕首，轻轻附在他耳边："我也想你。"

　　黎庄公十八年秋，九月十四。姜国虽打了胜仗，大军还朝，王都
却未响起凯旋之音，因将军遇刺身死。良将逝，举国同悲。

　　将军府敲敲打打，治丧的唢呐在白幡间大放悲声。我同小蓝混迹
在奔丧的宾客中，看到高高的灵堂上摆放了灵位香案，琉璃花瓶里插
满不知名的花束。

　　白色的烛火下，堂前乌木的棺椁在地上映出苍凉影子。宋凝靠在
棺椁之侧，漆黑的眼睛空茫执着，紧紧盯住棺中人。不时有客人上前
劝慰，她一丝反应也无。

　　小蓝问我："这就是，你为她编织的美梦？"

　　我不能理解："你觉得这是美梦？这明明就是噩梦好吧？"

　　我将美好撕碎，让宋凝看清现实。这世上有一种美好能要人命，
大多数人首先想到的是女人，但女人何苦为难女人，我说的不是女人，
我说的是华胥之境。

　　我本想将这个道理解释给小蓝听，但他迅速转移话题："当日你误
杀柳萋萋，消沉许久，我还真没想过你能有勇气亲自杀一个人。"

我说："因为我发展了，你要用发展的眼光看问题。"

入夜后，宾客尽散，天上有孤月寒鸦，抉择的时刻已至。偌大的灵堂只留他们夫妻二人，一个活着，一个死了，阴阳两隔。宋凝苍白的脸紧紧贴住棺椁，声音轻轻的，散在穿堂而过的夜风中，散在白色的烛火中："终于只有我们两个人了。"

她修长的手指抚过乌木棺面，就像闺房私语："我本来想，待你凯旋，要把这个好消息亲自告诉你，他们要写信，都被我拦住了，是我私心想要当面看到你如何的高兴。你不知道，我等这一天等了多久，我要见到你，我有多想见到你。"

厅外老树上做窝的鸟儿突然惊叫一声，厅中烛火晃了一晃，她用手挡住眼睛，平静嗓音哽咽出哭腔："沈岸，我们有孩子了。"但并没有真的哭出来，柔柔软软，荡在灵堂之上，像一句温柔情话。她把这句话说给他听，可他听不见了。

我在她说出这句话时走进灵堂，高高的白幡被夜风吹得扬起，她猛地抬头："沈岸？"

我从白幡后走进烛光，让她看到我的身影。

她秋水般的眼睛映出我红色的衣裙，陡然亮起的颜彩顷刻泯灭，神情暗淡空荡。

穿堂风拂过裙脚，我看着她："我不是沈岸，宋凝，我来带你走出这幻境。"

她脸上出现茫然表情："幻境？"但只是茫然片刻，很快恢复清明，"我记得你，在苍鹿野的雪山之中，我见过你，你是……"

我走近她一些，笑道："你第一次见我，可不是在苍鹿野的雪山之中。宋凝，这一切的一切，不过是我为你编织的幻境罢了。"

小蓝不知何时出现在身旁，漫不经心地打量灵堂陈设。

我再走近她一些："幻境里你的夫君死了，办起这样盛大的丧事。可事实上，在现实的世界里，他活得好好的，他负了你，和另一个女子成亲生子。你用性命同我做了交易，让我为你织一个你们相爱白头的幻境。你看，在这个我为你编织的幻境里，他果然爱上了你。可一切不过是你的心魔，其实都是假的。"

我说出这一番话，看到她苍白的面容一点一点灰败，眼中出现恐惧神色，这不是我熟悉的、七年后的宋凝。她踉跄后退一步，带倒了身后琉璃瓶，啪的一声，人也随之滑倒，碎裂琉璃划破了修长手指。

我说："宋凝，你不信我吗？"

时间凝滞，我将这一切和盘托出，沈岸的死令她如此心伤，她不会愿意留在这无望的幻境。没有什么比深爱的恋人死去更可怕的了，经历了这样的痛苦，现实里沈岸的不爱再不算什么，宋凝的病是心病，只要让她看开，离开这个梦境，她定能很快康复。

她手忙脚乱地将撒落一地的花束捡起来，我要蹲下帮她，被小蓝拉住。而她捡到一半，突然停下动作，只低头看手中大把的淡色秋花："你可知道，一直以来，我都在做一个梦，那样可怕的梦，每次醒来，都恐惧得发抖，原来，我做的这个梦，这一切，"她极慢极慢地抬头，"这一切，都是真的。"

两滴泪从眼角滑落，她问我："你没有说出来的那些现实，是不是还有……我的孩子。我有个孩子，他叫沈洛，他死在，一场伤寒之中？"

我没有回她，她定定看着我，模糊泪眼中攒出一个淡淡的笑，她说："我要留在这里。"我心里咯噔一下。

她低头看自己的手指，泪水滑落手心，良久，移开目光，看向堂上沈岸的灵位："你说这是你为我编织的幻境，都是假的，我在梦中看到的那些才是真实，可那样的真实，未免太伤了。你说的真实和我所在的幻境，到底哪一个更痛呢？那些真实，我只在梦中看到，也瑟瑟发抖，不能忍受，更不要说亲身经历。倘若如你所说，真有那七年，我是怎么挺过来的呢？我想起这些，便觉得在这幻境中，沈岸他离开我，也不是那么难以忍受了，我们至少有美好的回忆，我会生下他的孩子，我想，我还是能活下去，是了，我还是能活下去的，他也希望我活下去。可你让我同你回到那所谓的真实，那样不堪的境地，那个世界里的沈岸，连他都不想要我活着，我还活着做什么呢？"

宋凝这一番话，我无言以对。只听到灵堂外夜风愈大，树叶被刮得沙沙作响。

我想救她，终归救不了她。

她扶着棺椁起来，将手中花束端正插入另一只琉璃瓶，因背对着我，看不见她说话的表情，只听到语声淡淡："听姑娘说，我是用性命才同姑娘换来这个幻境，在那个真实的世界里，我是不是已经死了？若是那样，烦请姑娘一把火烧了我的遗体吧，然后将我的骨灰……将它带回黎国，交给我的哥哥。"

我张了张嘴，半晌，发出一个音节："好。"

五日后，我同小蓝离开宋凝的华胥之境，其间又去过一次苍鹿野的雪山，只因上次时间紧，小蓝还有两处地形没能勘探完。无意中得知柳萋萋果然未摔死，说摔下去时挂在崖壁一株雪松上，为一个猎户所救。为报救命之恩，柳萋萋以身相许，和猎户成亲了。

连柳萋萋都能有个不错的好归宿。

我对小蓝说："其实不该杀掉沈岸的，只是没想到即使这样，宋凝也不愿离开这个幻境。我想救她而杀掉沈岸，却害苦了她。"

小蓝看我半晌，淡淡道："这才是一个真正的美梦，沈夫人渴望爱她一生永不背叛的人，沈将军在最爱她的时候死去，她怀着他永不背

叛的爱活下去，只要度过这一段伤心时日，就是她所求的一辈子的长乐无忧。若不杀掉沈将军，简直后患无穷，你能保证在这幻境中，他一辈子不背叛吗？"

我表示惊讶："你竟然能同我讲这么大一堆道理，你们男人不是都讨厌说这些情情爱爱的事情吗？"

他看我一眼："有这等事？假如真有这等事，全大晁的青楼都不要想做生意了。"

我一想，觉得这个回答真是一针见血。

我握住小蓝的手要离开这个幻境，他反握住我的手，淡淡道："幻影就是幻影，这些幻影的事，你不用那么较真。"

他说出这样的话，一双云雁飞过高远天空。

华胥之境一晃半年，尘世不过短短一天。

脱离幻境，一泓暖流猛然涌入胸口置放鲛珠的地方，带得全身血液都热起来。那是鲛珠吸食了宋凝的性命，她死了，在这个寂寥的黄昏，只是谁都不知道。

别院的仆从仍端端正正侍在水阁旁，君玮和小黄则围着琴台打瞌睡，日光懒洋洋洒下来，一切祥和宁静，就像无事发生。执夙看到小蓝，惊喜道："公子。"惊醒了小黄和君玮，一人一虎赶紧上前观赏我有没有哪里受伤。就在此时，不远处水阁里突然蹿出一簇火苗，顷刻燎起丈高的大火。

君玮一愣："宋凝还在那里吧？"立刻就要闪身相救，被我拦住。

小蓝低声道："看来她早已料到最后结局。"

我和君玮讲述一遍事情原委，看着水阁四周垂搭的帷幔在火中扭出匪夷所思的姿态，突然想起幻境中，她让我一把火烧掉她的遗体。

果然是宋凝，不用我动手，入梦前，她早已将后事安排妥当。隔着半个荷塘，惊惧哭喊连成一片。好几个忠心的奴仆裹着在塘中浸湿的棉被往水阁里冲，都被熊熊大火挡了回来。宋凝做事一向仔细，那水阁之中怕每一寸都被火苗舔透了。她要将自己烧成一团灰，装在秀致的瓷瓶子里，回到阔别七年的黎国。

火势乘风越烧越旺，映出半天的红光。房梁从高处跌进荷塘，被水一浇，浓烟滚滚，撑起水阁的四根柱子轰然倒塌，能看到藤床燃烧的模样，此间安眠的宋凝被掩藏在茫茫火光中。

民间传说里，这样的故事总会在适时处落一场大雨，可水阁之上的这场火直至烧无可烧渐渐熄灭，老天爷也没落一滴雨，仍是晚风微凉，残阳如血。如血的残阳映出荷塘上一片废墟，废墟前跪倒大片的仆从，没有一个人敢去搬宋凝的尸首。

我对小蓝说："走吧，去把她敛了。"

他看了我身后一眼，淡淡道："不用我们帮忙，敛她的人来了。"

我好奇地回头，看见石子路旁那排老柳树的浓荫下，小蓝口中来为宋凝敛尸的人，将她逼往死地的人。

沈岸，她的夫君。

他穿着雪白的锦袍，襟口衣袖装点暗色纹样，像一领华贵的丧服。这样应景的场合。他一路走到我们面前，白色的锦袍衬着白色的脸，眉眼仍是看惯的冷淡，嗓音却在发抖："她呢，她在哪里？"

我指着前方水塘上的废墟："你是听说她死了，特地来为她收敛尸骨的吗？她和我说过，她想要一只大瓶子装骨灰，白底蓝釉的青花瓷瓶，你把瓶子带来没有？"

他张了张口，没说话，转身朝我指的废墟疾步而去，却一个踉跄差点摔倒。水阁前跪着的奴仆们慌忙让开一条路。我抱着琴几步跟上去，看见他身子狠狠一晃，跪在废墟之中，夕阳自身后扯出长长的影子。

越过他的肩膀，可以看到地上宋凝的遗骸。今晨我见着她时，她还挽着高高的髻，颊上抹了胭脂，难以言喻的明艳美丽。

朝为红颜，暮成枯骨。

时光静止了，我看到沈岸静静地跪在这静止的时光之中。

一段烧焦的横木啪的一声断开，像突然被惊醒似的，他一把搂住她，动作凶狠得指尖都发白，声音却放得轻轻的："你不是说，死也要看着我先在你面前咽气吗？你不是说，我对不起你，你要看着老天爷怎么来报应我吗？你这么恨我，我还没死，你怎么能先死了？"没有人回答他。

他紧紧抱住她，小心翼翼地，就像抱着一件稀世珍宝，惨白的脸紧贴住她森然的颅骨，像对情人低语："阿凝，你说话啊。"

黄昏下的废墟弥漫着被大火烧透的焦灼气息，地面都是热的。

我看到这一切，突然感到生命的空虚，无力问他："你想让她说什么呢？她现在也说不出什么了，即便你想听，也再说不出了。倒是有一句话，她曾经同我说过，新婚那一夜，她想同你说一句甜蜜的话。她刚嫁来姜国，人生地不熟，眼里心里满满都是你。她没有父母姊妹，也没有人教导她如何博取夫君的欢心，但那一夜，她实心实意地想对你说来着，说：'夫君，我把阿凝交给你，好好地交给你，请一定要珍重啊。'只可惜，你没让她说出口。"

他猛地抬头。

我蹲下来看着他的眼睛："你说宋凝恨你，其实她从没有恨过你，天下原本没有哪个女子，会像她那样爱你的。"

他死死盯着我，像被什么东西狠狠击中，苍白的脸血色褪尽，良久，发出一声低哑的笑，一字一句，咬牙切齿："她爱我？你怎么敢这样说。她没有爱过我。她恨不得我死在战场上。"

我找出块地方坐下，将瑶琴放到膝盖上："那是她说的违心话。"

我抬头看他："沈岸，听说你两年没见到宋凝了，你可还记得她的模样？我再让你看看她当年的模样，如何？"

　　没有等他回答，我已在琴上拨起最后一个音符。反弹华胥调，为宋凝编织的那场幻境便能显现在尘世中。我本就不需要他回答，不管他想还是不想，有些事情，总要让他知道。

　　这恹恹的黄昏，废墟之上，半空闪过一幕幕过去的旧事，倒映在浑浊的池水里。

　　是大漠里雪花飞扬，宋凝紧紧贴在马背上，越过沙石凌乱的戈壁，手臂被狂风吹起的尖利碎石划伤。她用舌头舔舔，抱着马脖子，更紧地催促已精疲力竭的战马："再跑快些，求求你再跑快些，沈岸他等不了了。"

　　是苍鹿野的修罗场，她下马跌跌撞撞扑进死人堆里，面容被带着血气的风吹得通红，浑身都是污浊血迹，抿着唇僵着身子在尸首堆里一具一具翻找，从黎明到深夜，终于找到了要找的那个人。她用衣袖一点一点擦净他面上的血污，紧紧抱住他："沈岸。我就知道，我是应该来的。"话未完，已捂住双眼，泪如雨下。

　　战场之侧的雪山山洞，他身上盖着她御寒的绒袍，她辗转在他唇上为他哺水，强迫他一口一口吞下。天上没有一颗星星，洞外是呼啸的寒风，她颤抖地伏在他的胸口："你什么时候醒来，你是不是再醒不来？沈岸，我害怕。"

　　她抱着他，将自己缩得小小的躺在他身边："沈岸，我害怕。"

　　是雪山之中的那三日，她背着他不小心从雪坡上跌下，坡下有尖利木桩，她拼尽全力将他护在身前，木桩擦过她腰侧，她忍着疼长舒一口气："幸好。"她吻一吻他的眼睛，撑着自己坐起来，捧着他的脸："我会救你的，就算死，我也会救你的。"

华胥调戛然而止，我问他："你可见过，这样的宋凝？"

话未完就被一口打断："那不是真的，我不相信。"面前的沈岸一只手紧紧捂住胸口，额角渗出冷汗，身体颤得厉害，却看着我一个字一个字地说出决绝的话，"你给我看的这些，我不相信，这不是真的，我不相信。"

我觉得好笑，真的笑出来："沈岸，到底是不是真的，你心中最清楚吧。她总想说给你听，你却从不给她机会。"

我说："沈岸，你知道宋凝是怎么死的吗？一个幻境。她沉溺在幻境之中，舍弃了自己的性命。那个幻境里，你终于爱上她，你们相约白头。她沉浸在这样的幻境里，这其实没什么，得不到的便想得到，也是人之常理。可后来你战死了，即便你战死了她也不愿离开那幻境，她想起现实中你给的痛，比起现实中你给她的那些痛，她宁愿忍受幻境中永远失去你的痛。她命人烧了自己的遗骸，什么也不愿留给你，她原本是那样爱你。沈岸，你不知道，她爱你爱了七年。"

我说完这些，看到他颤抖的手指抚上她手腕腕骨处一只玉镯，紧紧握住，现出泛白的指节，突然身子一倾，吐出一口血，殷红的血洒在宋凝遗骸的肋骨上，现出一种异样的妖。他喊出那个名字，像痛苦得不能自已了，嘴唇开合几次，才能发出声音："阿凝。"可她已再不能回应。

我抱琴起来："她让我将她的骨灰送回黎国，自此以后你们再无瓜葛，沈将军，三日后我来取宋凝的骨灰。"

他没有理我，跟跄着抱起她，一步一步踏出水阁，像随时都会倒下去似的。

伏在地上的仆从们嘤嘤哭泣。

我愣了愣，道："也好，那烦劳沈将军实现她最后一个愿望，将她装进白底蓝釉的瓷瓶，亲手交给她的哥哥。"

沉默像一把蜿蜒的白刃，他喑哑的嗓音自一片哭泣声中恍惚传来："她临死之前，可有什么话对我说？"

我看着他的背影："没有，一个字也没有，她对你，已别无所求。"

这件事过去不久，听说黎、姜两国再次开战，黎国由大将军宋衍挂帅，姜国则派镇远将军沈岸出征。那时，我们正在姜国边境游山玩水。

五月初七的雨夜里，小蓝带来消息，说沈岸战死在苍鹿野，这一战他占了先机，本该大获全胜，不知为什么竟会战败身死。据说临死前，他让部将将自己埋在苍鹿野的野地里，下葬时，他们发现他随身带着一只青花的小瓷瓶，瓷瓶中装满了不知名的白色齑粉。

他家中妾室得知他战死的消息，当晚悬起一根白绫，将自己也吊死在了花厅。

小蓝问我有什么感想，我笑着对他道："倘若敬武公主宋凝还活在这世间，兴许沈岸就不会死了，世间只有一个人会不顾性命地爱他救他，只可惜死得太早了。"

他沉默半晌，道："也许正是因为宋凝死了，所以他才死了呢？"

我说："是吗？"

他不说话。

我看着窗外淅沥的夜雨，淡淡道："我不相信。"低头问小黄："你相信吗？"小黄安详地啃着半只烧鸡，听到我唤它，抬头茫然看了我一会儿，垂头继续啃自己的了。

我们俩面对面沉默良久，我问他："你最近怎么都不穿蓝衣裳了？"

他笑道："为什么我一定要穿蓝衣裳？"

我说："因为你叫小蓝啊。"

他挑起好看的眉毛："我还奇怪你为什么从不问我的名字，小蓝不是你给我起的……"

他做出思考的模样，像在挑选一个合适的词语，灯花噼啪一声，他不动声色地看着我："不是你给我起的昵称吗？"

我回想事情梗概，发现果然如此，端了茶盅倒水："你原本也有自己的名字吧，呃，只是我觉得名字不过符号而已，喊你小蓝喊习惯了，就忘了问你原本叫什么名字，你原本叫什么名字？"

他轻声道："慕言，思慕的慕，无言以对的言，我的名字。"

我手一滑，茶盅啪的一声落在地上。

第二卷

十二月

看着她的背影在月光下渐行渐远，他想唤她的名字，莺哥，这名字在心中千回百转，只是一次也没能当着她的面唤出。

「莺哥。」他低低道。可她已走出老远。

第一章

那一日，天色晴好，我们离开姜国，取道沧澜山入郑国国境。

慕言打算第二日离开，道家中有急事召他回去，欠我的恩望来日再还。

其实他不欠我什么，倘若他还记得，就该明白这笔账是这样算：我先欠他两条命，如今救了他一命，只是抵消曾被他救的前一条命，就是说还欠着他一条命，是我要还他，不是他还我，但明显他已不记得。其实这也没什么，女大十八变，如今的我同三年前已大不一样，脸上还随时随地戴个面具，他认不出我也是情理之中，没什么可失落。

我想，我爱上他三年，没有想过今生还能再见，老天让我们再一次相遇，却隔着生死两端，着实缺德。但这样也好，于他而言，什么都没有发生，什么都没有结束；于我而言，一切早已发生，早已结束。如今藏在心中的这份情意不过是亡魂的执念，不是这世间应有的东西，过多纠缠着实毫无意义。

但总是无法忘怀，一闭上眼就会出现在脑海里的，全是雁回山山洞里他低头抚琴的身姿，银的面具，玄青的长袍，手指拨弄蚕丝弦，月光下琴声如同悠远溪流，潺潺。

我想，我得让他留点儿什么给我，什么都行，算是做个念想。

夏日天长，很久才入夜。我提着一壶酒忐忑地去找他，假装自己根本没有心存杂念，有此举动完全是为了找个酒友拼酒赏月，而他得以入选，纯粹是今夜我们比较有缘。

他坐在客栈的院子里纳凉，石桌上布了两三酒具，是在自斟自饮。我蹭过去把提来的壶放在一旁，瞟他一眼："一个人喝酒多没意思啊。"

他抬头看我："你是来陪我喝酒的？"

我盯着他手中白瓷的酒杯："慕言，走之前再给我弹支曲子吧。"

他诧异地望我一眼，却没说什么，只是放下杯子："想听什么？"

我想想说："没什么特别想听的。"

他朝守在不远处的执夙打了个手势，转头看我道："那就……"

我挨着坐下打断他："那就把你会的都给我弹一遍吧。"

"……"

执夙很快将琴取来，放在客栈的凉亭中。

凉亭周围被老板娘种满了千花葵，大片大片沐浴在月光之下，由白渐红，一路蔓开，像云里裹了烟霞。我垂头看着慕言，他就坐在这烟霞之中，卸下面具的脸少有的好看，修长手指随意搭在琴弦之上，微抬头含笑看我："要真把我会的每一首曲子都弹给你听一遍，今晚你可睡不了了。"

我没有说话，心里却不由自主地想，哪怕你是要弹一辈子呢。

琴声响起，仍是我从未听过的调子，我趴在一旁的三足几上，撑

着头问他：“慕言，你还没有妻室吧？”

曲音毫无停顿，他微微偏头含糊了一声：“嗯？”

我说：“你愿不愿意娶一个死人做妻子？”

他停下拨弦的手指，月光映在脸庞上，光线深深浅浅，说不出的好看。

我鼓起勇气和他比画：“那姑娘长得不错，性格也可以，长辈们都喜欢她，嫁去你们家绝对不会产生婆媳问题，而且，她琴棋书画都懂一些，绝不会在外人面前丢你的脸。另外，饭虽然做得不大好，也能做一些的，就是，就是已经死了……”

我将自己大肆夸奖一番，自己都觉得厚颜，越夸越夸不下去，他托着腮帮耐心听我陈述，半晌，哭笑不得道：“你说的是冥婚？”

我不知道，假使我和他成婚算不算冥婚，可也没有更好的定义，只能含糊地点点头。

他耐心看了我好一会儿，抬手重新拨琴弦，摇头道：“真搞不懂你在想什么，该不是想为已故的某位姊妹说媒吧。”

我目光炯炯地看着他，道：“嗯。”

蚕丝弦发出一阵颤音，他笑道：“确实像是你能做出来的事儿，可我们慕家不能无后，多谢你一番美意了。”

我重新趴回三足几，闭上眼睛，明明夜风温软和煦，却觉得浑身都冷。虽然明白生死殊途，但有些时候总免不了心存侥幸，想试试看，也许会有不一样的结局，却只是让自己更加失望而已。

我多么想告诉他，你跟前这个面具姑娘就是当年雁回山上那个被蛇咬得差点死掉的小女孩，如今长这么大了，一直想把自己许配给你来着，天上地下地找你，找了你三年。可如何能说得出，这个面具姑娘其实是个死人。

这一夜，我趴在三足几上，伴着慕言的琴声，不知自己何时入睡。

听君玮说，四更时慕言将我抱回房。但我醒来时，他已离开。就像三年前雁回山那一夜，总是不知不觉我们就分别。但也没有特别大的感受，只是放鲛珠的这个地方似乎空了一块。

要前往的地方是四方城，郑国的国都。

乍听这个名字，觉得城池应是按照某种精深几何学原理构建。其实一切都是误会，城名四方，只因城内民众比较喜欢打麻将。我、君玮和小黄三人一行紧锣密鼓地奔往这座城池，因君师父飞鸽传书，说在城中帮我接了桩生意，这次的主顾身份比较特别，是个住在郑王宫里的贵妇。

郑国境内多山多水，这意味着大多数时间我们只能以船代步，但小黄的存在让敢于拉我们三个过河的船家急剧减少，好不容易碰到一个要钱不要命的，又往往需要多付数倍船资才有资格踏上对方的贼船。考虑到不能像对付马匹那样将小黄随便烤烤吃了，除了忍受敲诈没有别的办法。

但后来盘缠日渐稀少，长此以往，必然不能顺利到达目的地，迫不得已的君玮只好去逼船家："要钱没有，要命一条，你拉不拉，不拉我放老虎咬死你。"没有料到的是，这个办法竟然分外好用。我们一路畅通无阻，只是临近目的地时终于被人举报，被当地官府罚了一大笔钱，而那是我们最后的盘缠。

其时离四方城还有五十里地，保守估计要走三天，但我们已身无分文。君玮的意思是他新近在路上又创作了一部小说，走的是时下流行的虐恋路线，应该会很有市场，可以尝试卖这个小说来赚盘缠。我和小黄都很高兴，觉得柳暗花明，兴致勃勃地在官道旁边摆了个摊，寄望颇深。

结果没卖出去。

后来分析，原因全在于书中没有配备春宫插图。但我们当时并没有此等觉悟，只是感觉走投无路。思考很久，觉得唯一可行的办法……只有让小黄违背本性表演吃草了。

就是在逼迫小黄卖艺的过程中，我们碰到了从山上采药归来的百里璟。这是个十分重要的人物，而当时乃至此后很久，我们都不知道他其实出生于药圣家族，是药圣百里越唯一的侄子。当然这也有他自己的原因，因他出场出得着实对不住他的姓，手上没握着折扇，腰间也没别着长剑，身上倒的确穿了件白袍子，却弄得灰一块黑一块的，丝毫不飘飘欲仙，背上背的破竹篓更是无论如何都无法让人产生类似于"哇，一看就是高人"或"哇，一看就是高人后人"的联想。

那个场景，正好是夕阳西下，雀鸟归巢。我们摆好卖艺摊子，将随处挖来的草根野菜放在一旁，小黄被意思意思拴住，放在野菜旁。

附近田地里劳作的农人们扛着农具回家，路过看到这个阵势，纷纷驻足围观，很快围成一个大圈子。

万众瞩目下，小黄痛苦地将一根红萝卜啃得咔嚓咔嚓响，农夫们啧啧称奇。

这时，百里璟千辛万苦地挤进人群，蹲下来很自然地从野菜堆里捡起一个个头特别大的白萝卜，抬头问君玮："喂，这萝卜怎么卖的？"

君玮："？"

百里璟研究一阵，不知将这个表情转化成了什么信息，埋头选半天，又拿起一个红萝卜："喂，我买你两个白萝卜，能送一小根红萝卜不？"

我眼睁睁看着君玮眉毛跳了两跳，跳完后面无表情地抬手，指了指缩在一旁啃萝卜的小黄，以示我们这是在表演杂技，不是卖萝卜。

百里璟定睛一看，吓一跳："哇，买萝卜还送老虎啊？"

我眼睁睁看着君玮眉毛又跳两跳，抽着嘴角："没送老虎，老虎不送的。"

百里瑢理解地举起右手里的红萝卜："哦，没事儿，不送老虎就送我一小根红萝卜。"

君玮继续抽着嘴角："萝卜也不送的。"

百里瑢讶然地举起左手里的白萝卜："没让你白送啊，我付钱，我买得多不是，没让你少算钱，就让你多给包一根小萝卜……"

我猜想君玮已经有点忍无可忍，还没想完，看见一个灰扑扑的白影子呈抛物线咻的一声飞出人群。君玮手搭眉骨，远目咻的一声被他扔出人群的百里瑢，昏沉沉的日光下，神色严峻地拍了拍手，拍完又在我的袖子上揩了揩。

这就是我们和百里家族最年轻子侄的初会，君玮首次展现了人性中最具有男子气概的一面。

两天后，我们凑够到四方城的路费，勉强能够果腹住店。我是这样想的，此刻赚点小钱即可，不宜让小黄过度操劳，只要挨到城中，就遍地都是赚钱的机会，比如可以让君玮卖身什么的。但竟然再次被举报。

官府查证一番，因我们完全是依法所得，实在没有触犯刑律，无从下手，但他们又不好空手而归，最终以逼虎卖艺、虐待动物的罪名对我们实施了罚款，罚得还算人性，好歹留下了几个铜镴可供住宿。

君玮说："这一定是那个娘娘腔的小子干的好事。"他说的是百里瑢。但我觉得这事和他殊无关系，因我着实怀疑他其实根本搞不清楚老虎到底是吃肉还是吃素，指不定他压根儿以为老虎天生就该啃萝卜。

本以为和百里瑢不过茫茫人海中擦肩的缘分，我和君玮都不甚在意，孰料第四天傍晚，大家却狭路相逢且殊途同归在四方城外有且仅

有一家的小客栈里。除此之外，君玮还必须和他同床。

能有这样的缘分，也是无奈，只因客栈规模着实太小，我们到达时只剩最后一间房。可想而知，为了我的清誉，自然不能让君玮同住，但不和我同住就只有让他去柴房打地铺或客栈门外的老柳树下打地铺，何其残忍。

考虑到毁了我的清誉注定会被君师父乱棍打死，君玮纵然心里一千个不情愿，也只能收拾寝具去柴房蹲一夜。我和小黄共同以悲悯的眼光注视他。不料草席都卷好了，路过楼梯口时，一团灰扑扑的白影子突然凑过来："咦？你不就是前几天那个卖萝卜的？你们咋啦？"我们才看清，这人是百里璿。

客栈老板缩在柜台旁，一边注意小黄的动静一边和他解释。他回头端详一阵，绕开君玮凑到我跟前："原来缺房间啊？我房间倒挺大的，要不我凑合着跟你住一间呗，房钱咱们分着付，嘿嘿嘿嘿。"我来不及答话，君玮不知采用何种身法，已默默地插入我们中间，对着嘿嘿的百里璿慈祥一笑："好，咱们一间。"嘿嘿嘿的百里璿就呜呜呜了。

大家吃了顿饭，因此熟悉。

吃完便双双回房睡觉。

临睡之前，我眼皮跳得厉害，总觉得会出点什么事。从小到大我的直觉都很灵敏，假使预感有坏事发生，那无论如何都会真的发生点什么来应应景。

我心中一直惴惴，不能安睡，眼睁睁等到日出东方的第二天，却一夜安静，并未发生任何特别之事，只是领着小黄下楼吃早饭时，看到坐在窗旁的君玮和百里璿，感觉二人神态微有古怪。百里小弟喝一口稀饭抬头盯着君玮闷笑一阵，喝一口抬头再闷笑一阵，而君玮除了脸色有点阴沉，此外殊无反应。

小黄摇着尾巴盘在我脚下，盯着面前半盆稀饭发愣，半晌，眨巴眨巴眼睛可怜兮兮地望向君玮。

君玮不耐烦："今天没烧鸡可吃，咱们没多少盘缠了。"

小黄难以置信地将头扭向一边。百里瑶嘿嘿嘿地凑到我跟前："你知道阿蓁是谁？"

君玮夹咸菜的筷子猛地一顿，一转指向百里瑶，对小黄抬了抬下巴："儿子，你要实在想吃肉，这儿有只现成的。"

小黄果真站起来舔了舔牙齿，百里瑶嗖的一声跳上凳子，颤抖着手指向君玮："一夜夫妻百日恩，君玮你忘恩负义。"

我噗的一声将稀饭喷了一桌子，君玮手中的筷子啪地断成两截。

我说："你们俩……"

君玮收拾好断成两截的筷子，瞪了眼百里瑶，龇牙道："没什么，别听他胡说。"

百里瑶啧啧啧摇了摇头，蹲在凳子上表情暧昧地凑过来。我兴致勃勃地凑过去。

他凑到我耳边："你不知道，这个人昨天晚上做梦，在梦里……"话没说完，被一口素包子狠狠塞住。

我心里一咯噔，赶紧看向君玮："你和百里小弟……你不会是看人家长得娇若春花，昨晚上月黑风高的一不小心把人家给……"话没说完同被素包子塞住。君玮气急败坏地指挥小黄："儿子，这俩破玩意儿归你了，你的早饭。"

眼看内部矛盾就要升级，隔壁桌突然传来轻慢的一声笑，却不知是在对谁说："你们口中品性贤德的公子，说的是灭了卫国后，雷霆手段将卫王室仅有的几个忠良斩杀干净的陈世子苏誉，苏子恪？"

从这句话里捕捉到卫国名号，我和君玮不由得双双掉头，发现是隔壁桌起得早的几个食客凑成一团谈论国事，方才说话的是个正巧路

过的中年文士。

文士还想继续，被饭桌上的白衣青年截住话头："兄台此言差矣，斩杀卫国大臣的可不是世子誉。卫国被灭，世子受陈侯令驻守卫地监国，不幸染病，只能回昊城修养。是宰相尹词另举荐了廷尉公羊贺为刺史，代行监察之职。公羊贺为人本就狠厉，为了及早在陈侯面前立下一功，初到卫地就斩杀了卫室最后几个能反抗的旧臣，杀鸡儆猴立了个下马威，又选了邻近卫王都的沥城和燕城移民，使沥、燕两城本地百姓流离失所，此后大兴土木营造刺史府之类胡作非为，世子时值病中，这些事儿可全不知情。待世子病好，重执国事，不仅即刻快马加鞭赶往卫国，亲自将公羊贺斩于尚未造好的刺史府前，还将他的头颅挂在卫王都的城墙上，以此向卫地百姓谢罪。如今卫地百姓视世子誉如再生父母，卫国亡国不过半年，卫地百姓皆心甘情愿归附陈国，贤德二字，世子如何当不得？"

文士咻道："不过借刀杀人罢了。先借公羊贺的手，做尽一切自己想做却不能做之事，回头再将其杀掉，天下人还感恩戴德，好一个贤德世子。"

白衣青年几个朋友一同拍案而起："你……"掌柜一看情形不对，赶紧过来劝架，"莫谈国事，莫谈国事。"

君玮夹了一筷子咸菜到我碗里："说说你的想法。"

我想了想，觉得没什么想法，只是对卫王室还有所谓忠良这件事情颇感惊奇。

君玮看了眼蹲在凳子上的百里瑈，又看我一眼，张了张口，大约觉得有些事不好当着外人的面说出来，挣扎半天，最终选择了埋头喝稀饭。我猜想他是担心我还记着自己是卫国的公主，把苏誉看成敌人，为国报仇去刺杀他什么的。

但我着实没有这个想法，觉得要让他安心，将咸菜里的萝卜丝挑出来道："要我是苏誉，估计也得这么做，乱世里的圣明君王本就要狮子的凶狠狐狸的狡诈，贤德是做给天下人看的，哪里要你真正的贤德，看上去贤德就很可以了。"

百里瑨不知什么时候将腿放下去，端端正正坐在椅子上插话道："照你这么说，苏誉搞这么多出来就只是为了在外头树立一个他很贤德的形象？"

我摇头道："要真是这样，他就不是贤德，是闲得慌了。公羊贺不是把卫室遗臣该杀的都杀完了吗？此后卫国再无复国希望，可喜可贺。公羊贺不是还把部分陈国人迁到沥、燕两城了吗？这些人平时种种田，卫国闹乱子了还能组织起来帮忙镇压镇压，省了大批从陈国调过来的驻军和军费……"

百里瑨出现茫然表情。我想必须得出现一个例子来佐证我的阐述，方便他理解，想了半天，道："好比你们家要去外国开个青楼，带很多姑娘过去，但这个国家律法规定只有逢年过节才允许青楼营业，那你们家平时要养这些姑娘肯定特别不容易吧？要是给她们分点儿田，让她们平时务务农什么的，自给自足，压力是不是就小很多了？"

百里瑨抓抓头："可如果这个国家只有逢年过节才允许青楼开门做生意的话，那我们家为什么要千里迢迢跑去那里开青楼啊？"

我觉得真是无法和他沟通。

而此时，中年文士似乎已被掌柜劝到别处，隔壁桌忽然传来一声叹息，不知道那句话从何开始，我们只听到后半句："……卫国亡得确然是个笑话，只可惜了殉国的文昌公主。听说那位公主自小从师于当世的圣人慧一先生，是慧一先生唯一的关门女弟子，才貌双全，有闭月羞花的倾国之姿，又有大智慧，早在十六岁时，就有许多诸侯的公子向卫公求亲……"

又有人说："在下曾听闻世子誉二十二岁生辰时，也得到过文昌公主的一幅画像，看了却说了句奇怪的话，'唔，这是叶蓁？已经出落成大姑娘了'。虽是宫廷秘闻，不知到底可不可信。不过，传说中文昌公主既是这样的品貌端然、沉鱼落雁，又琴棋书画样样精通，世子他……"

君玮问我："你抖什么？"

我端起碗打了个哆嗦："不知道为什么就觉得全身起了好多层鸡皮疙瘩……没事儿，吃饭吃饭。"

君玮做了个噤声的手势："风月这段说完了，开说诸侯纷争天下大乱了，你别出声，我再听一会儿。"

我说："？"

君玮道："那句话怎么说的来着，天下大乱，匹夫有责嘛。"

我讶然看他："又不是你让它乱的，关你什么事儿啊？乱世再乱，也只跟皇帝和诸侯有关，一个拼命不想它乱，一个拼命想它乱。啊，对了，还有个搞不清楚想干什么就是唯恐世事不乱的教宗，不过这个是宗教范畴，属于神秘意识了，不用管他。"

君玮默然："我就是关心一下政治……"

我拍拍他的肩膀："正直的人都搞不好政治，这条路线不适合你，你还是适合关注宇宙，写点小说。来，吃饭吃饭。"

百里璎凑过来："为什么人正直了就不能搞政治啊？"

我解释给他听："你看，这个乱世，政治本身太歪了，你要不歪，就不是搞它，而是被它搞了。"

百里璎恍然："那就是说，人要不歪就没法从政了？"

我说："也不是吧，也不能过度，得又歪又正。"想了半天，道，"比如苏誉……"

百里璎若有所思地看我好一会儿，半晌，郑重道："有没有人跟你说，你身为女孩儿可惜了？"

君玮淡淡道："没什么可惜的，不过是老师教得好。"

我指着君玮对百里瑨道："看得出来他跟我其实是一个老师教出来的吗？看不出来吧？我们俩如今这个差别，和后天努力没有半点关系，完全是先天资质原因。"

君玮看着我表情狰狞，仿佛正在暗暗地使什么大劲儿。

我奇道："你在干什么？"

他也奇道："我在桌子底下使劲儿踩你的脚啊，你没觉着吗？"

我更奇道："啊？没觉着啊。"

百里瑨突然抱脚跳起来："啊啊啊啊啊，痛痛痛痛痛……"

天下无不散之筵席，日上三竿之时，我们喝了顿早茶剔了会儿牙，收拾包裹和百里瑨话别。不远之处横亘的便是郑国国都，高耸的城墙在夏日的晨光中闪闪发亮。我想，假如这是一块金子那该多好啊，扒拉块墙砖下来我们就发财了，最主要的是就不用逼迫君玮卖身赚盘缠了。

走出客栈不过五步，君玮已频频回头。我看了眼客栈门前背了个小背篓的百里瑨，试探地问他："百里小弟长得真是不错哈？"

君玮淡然地瞟了我一眼。

我继续试探地问他："你和百里小弟昨天晚上真的……"

他没回答，再次淡然地瞟我一眼，瞟完依然回头望。

看他这个反应，我心里咯噔一声，掩着嘴角低声道："你真看上人家了？你舍不得人家？"

君玮没听清："什么？"

我稍微调高一点音量："你真看上人家了？舍不得人家？"

他继续没听清，道："风太大，你大声点。"

我只好大声点："你是不是看上人家百里小弟了……你这么频频地回头看，是不是舍不得人家……"问完保持音量提醒他，"你要是断袖了，君师父绝对会打死你的……"

四周一时寂静，来往行人齐刷刷将我们盯着。君玮脸色一阵青一阵白，半天，咬牙一字一顿道："君拂，你的皮痒了是不是？"

我反射性地后跳一步。

五步开外的百里瑨乐颠乐颠地跑过来，笑眯眯地看着我和君玮："你们舍不得我啊？没关系没关系，我家就住在四方城沁水胡同最里边那个大院，你们事情办妥了来我们家玩儿啊！"

我迎上去道："一定的一定的。"

君玮抚额不语。

同我客套完，百里瑨转身忧愁地瞧着君玮，绞着衣角扭捏半天："你不是真看上我了吧？明明你在梦里边……"

君玮咬牙道："闭嘴，老子没看上你。"

百里瑨讶然道："那你还频频回头望我。"

君玮脑门上爆出青筋："老子没有回头望你，老子在望老子的儿子小黄，它去厨房偷烧鸡了，一直没回来。"

百里瑨古怪地看着他："小黄不就在君姑娘脚底下吗？"

君玮回头一看，正对上小黄一双水汪汪的大眼睛。

在君玮凌厉的注视下，刚刚啃完烧鸡的小黄怯生生把藏了鸡骨头的爪子往后挪挪，挪完怯生生瞟君玮一眼，发现他居然还在看它，再往后挪挪。

君玮看着小黄愣了半晌，问我："它什么时候回来的？"

我想原来一切都是误会，正想告诉他小黄刚刚才从路边的草丛里冒出来，身旁的百里瑨突然幽幽地说："要找借口也找个好点的借口么，不用解释了，也不用掩饰了，你果然还是看上我了……"

君玮沉默半晌，无言以对地望着我。

我琢磨出来他这个眼神是求助，立刻插话："咳咳，百里兄，这个咱们先不讨论，问你个事儿啊。"其实我都不知道要问他什么，只是为了转移话题，想了半天，没想出生活中哪些地方与他有重合之处，只得拿出君师父给我找的四方城里的那桩生意来客套："那什么，你吧，你既是郑国人，有否听说郑平侯的那位夫人，十三月啊？"

幽幽的百里瑨猛地抬头，蹙眉想了想，道："你是说，月夫人？"再想一想，又道，"月夫人早已归天了。"

我怔道："不会吧，我有个师父，前几日还收到这位夫人的信……"

百里瑨做出思考的模样，良久，道："哦，你说的是平侯容浔的那位月夫人啊，我还以为你说的是……"话没说完又道，"可是你刚才说了十三月？"

他抬起头来望着我："你说的那位月夫人不是十三月，那女人和她夫君都是贼，真正的十三月，"他顿了顿，"早死了。"

第
二
章

七日一晃而过，五月二十五，夜，月明星稀，我、君玮、小黄两人一虎从四方城星夜出奔。

迄今为止，我做过的生意不过两桩，还没有总结资格，但已经忍不住想总结一句，今后的贩梦生涯，估计再不能遇到比郑国这趟更加轻松的差事，只需弹个琴送个信就把一切搞定，还可以白白赚上一命。当然这是好的一面。

不好的一面是身为主顾的月夫人因信仰问题长年吃素。这也无可无不可，关键是她不仅自己吃，还喜欢发动大家一起吃，作为客人，我们尤其不能幸免，令君玮和小黄备受摧残。

他们本想溜出王宫到城中酒楼打个牙祭，但王宫这种政府机构其实和妓院赌场没什么区别，都是进来要给钱出去要给更多的钱。我们虽然曾经是有钱人，可遭遇了几次政府罚款，已经赤贫，这也是大晁众多有钱人的共同烦恼。

出于对肉的向往，当了结了月夫人夜奔出郑王宫后，大家都很高兴。为了表达自己激动的心情，饿得面黄肌瘦的小黄还在地上打了好几个滚，结果滚得太厉害，半天爬不起来。

我拍了拍君玮的肩膀："去把你儿子扶起来。"

君玮怒道："谁生的谁扶。"

我说："不是你和百里瑎生的吗？"

君玮转头深深地看我："你去死吧。"

月上中天，我和君玮商定兵分两路，他带着小黄向东逃，我向西逃，最后大家在北方相会。

这就是说，我们必须将逃跑路线制定成一个等腰三角形，最后在它的垂直平分线上会合。君玮数学学得不好，我已经可以想象这个计划必定要以失败终结，最后他不幸迷路，然后被人贩子卖去勾栏院，终身以色侍人，运气好的话被当地县令赎回去做个妾什么的。想到这里，我不禁打了个寒战，深深感到把小黄交给他带果然是明智之举。

假设遇到危机，至少还有小黄可以奋力保护他，不然真是不能令人放心。虽然制订这个逃跑方案的初衷只是觉得小黄太引人注目，郑平侯追踪我们时必定要以它为坐标，简直是跟谁谁倒霉……

我们推断郑平侯容浔必定要来追拿我们，根据在于半个时辰前，我们结果了王宫中他最宠爱的一位夫人——传说中的十三月，月夫人。更要命的是，我们在逃跑前还顺走了这位夫人发鬓上簪着的一整套黄金打的首饰。

我从前看过一本书，书中写一个女子靠算命为生，会一种奇特的幻术，世上见过她的人若干，却无一人记得她的容貌。而在郑王宫中见到的月夫人十三月，就像是从那本书中走出的女子，让人转身就遗忘。

我们曾经很专业地研究了一番，觉得她一定不会秘术，那这个特质就只能跟长相有关了。并不是说她长得不美不扎眼，只是眉眼太淡，像水墨画里寥寥勾出的几笔，没什么存在感。

十三月是个奇怪的女子，饮了我的血，让我看到她的华胥调，却并不告诉我她要什么，只将一封信放在我手中，轻声道："君师父说你能做出重现过去的幻境，圆我的梦。只是那幻境里我将不再记得现实中事，那劳烦君姑娘为我织出过往，再将此信交给过往中的我。"连语声都是淡淡的。

我掂量手里轻飘飘的信封，问她："不用我再帮你做点儿旁的什么？你知道这桩生意，你须得付出什么样的代价吗？"

她抬起眼睛："那个代价，我求之不得。"

一切如她所愿，三日后，我奏起华胥调，将那则封得严严实实的书信交到幻境里的十三月手中，因不曾听过她的故事，去往她的幻境就很难搞清何夕何年，只是看幻境中的她依旧愁眉深锁，判断此时重现的这段过往，其实并不是过往。因这桩生意里里外外都透着古怪，而且当事人好像故意把它搞得很神秘，很容易就激发起我一颗探索之心。信送到之后也没有立刻离开，而是趴在十三月屋中的房梁上执意等待一个结局，想看看她要圆的到底是个什么梦。这样做的好处是表明我尽管是个死人，也有一颗好奇心，并没有无欲无求，依然很有追求。不好之处是看起来很像变态分子。

在房梁上趴了两天，终于等到激动人心的一幕。

正是晨光微现，窗外雪风吹落白梨瓣，在院子里铺上薄薄的一层。黑发紫衣的男子带着一身寒意踏进十三月的寝居，男子有一副俊朗的好面孔。

我屏住呼吸，生怕被发现，屏了半天，才想起我本来就没有呼吸，又穿得一身漆黑，极易与房梁这些死物融为一体，根本不用担心。

而在我愣神的当口，男子已坐到镜前，铜镜映出他一头漆黑发丝，端整面容藏了笑意："方才不当心被院子里的梨树挂了发巾，月娘，过来重新帮我绑一绑。"

十三月缓缓踱步过去，从我的角度，能看到她手中握了把半长不短的匕首，脸上表情支离破碎，身子在微微发抖。男子并未注意，对着铜镜伸手自顾自取下了与衣袍同色的发巾。即便男子完全没有警惕，在我想象中按照十三月这个水准，要刺杀他也是难以成功，更有可能是在刀子出手时抖啊抖的就被他发现并握住。男子说："你想杀我？"十三月摇头不语，豆大的泪珠滑下眼角，然后他俩抱头痛哭。我正想得出神，蓦然听到男子轻哼一声，定睛一看，刀子竟然已经顺利扎了下去，且正对住心脏，从背后一穿而过，真是又准又狠。

我猜中了结果，没猜中开头。十三月果然在流泪，却边流泪边握着匕首，更深地扎进男子的背心。

男子低头看穿胸而过的长匕首，缓缓抬起头，铜镜中映出他没有表情的侧脸，殷红的血丝顺着唇角淌下，他偏头问她："为什么？"

那个角度看不到她流泪的眼。

而她顺着高大的檀木椅滑下去，像那一刺用尽了浑身力气。

她将头埋进手臂，哭出声来："姐姐死了，是被你害死的，不，还有我，她是被我们一起害死的，明明我该恨你，可为什么，为什么……"她握住他的袖子，就像抓住一根救命稻草，"容浔，为什么你要让我爱上你呢？"

我吓得差点从房梁上摔下来。容浔，郑国的王，郑平侯。

这才回想起男子举手投足，果然是曾经见惯的王室中人派头。

镂花的窗棂吹入一阵冷风，掀起桌案上铺开的几张熟宣。容浔似乎支撑不住，整个身子都靠进宽大的座椅，却在闭上眼时轻唤道：

"锦雀。"

十三月瘦削的肩膀颤了颤，突然哇的一声大哭起来："容浔，我们对不起她，对不起十三月……"说完颤着手一把抽出刺入他心脏的匕首，反刺进自己心口，淡淡的眉眼之间满是泪痕，紧抿的嘴唇却松开来，微微叹了口气。

血色漫过重重白衣，我捂住双眼。

着实没有想到十三月所求的圆满梦境会是这样。

虽没有看过她交给我的那封信，但已可以想见信中内容，她明白一切，写下已知的一切交给幻境中不明真相的自己，这封信是她下给自己的一道暗杀令。

这说明她本来就想自杀，却又不想一了百了，死前也想拉个垫背的，但又不是真正想让他垫背，于是千里迢迢将我召过去，在想象中拉了容浔一同殉情。

她终归还是爱他，想要杀他，却不舍得杀他，只得在想象中杀他一回过把瘾。

这样的行为真是匪夷所思。

直到走出十三月的幻境，我仍在沉思她选择这样毁灭的原因。思考良久，得出三个可能，其一是她姐姐爱容浔，她也爱容浔，姐姐觉得竞争不过她，于是自杀，她觉得对不起姐姐，就邀请容浔一同自杀；其二是她姐姐爱的其实是她，但她却爱上容浔，姐姐觉得竞争不过容浔，于是自杀，她还是觉得对不起姐姐，结局同上；其三是小时候她娘教导她女人要对自己好一点，结果她一不小心听成了女人要对自己狠一点，所以最后就对自己狠了一点。

我把这三个推断说给君玮听，他表示我的逻辑推理能力有了很大长进，只是有一点不太明白，为什么每一种推断里容浔都显得那样无辜。我都懒得回答他，宫斗文本来就是女人和女人的故事，这种背景里的男人其实就是个道具，为了节省篇幅，我们一般不多作描绘。

此后便是逃亡。

别离君玮和小黄，一个人逃起来有点寂寞。

这不是最主要的，最主要的是君玮临走时忘记把顺的那副黄金首饰分我一半，搞得我身无分文，手中唯一值钱的是慕言抵押给我的玉扳指。我将它用红线穿起来挂在最贴近胸口的地方，也许此生不能再见，而这是他唯一给我的东西，我一定要好好珍藏，就算有人拿刀打算对我进行分尸，我也不会拿去典当。

我很想他。

可又有什么办法。

天上月亮明晃晃的，我将扳指宝贝地放进领口，用手拍一拍，想，又有什么办法呢。

按照等腰三角形的既定路线一路逃亡，十日后，来到陈国边境。其实最初并不知道这是回家路线，最后依旧回到璧山，可见是冥冥中的注定。一个多月前，我在这里重逢慕言。

十四岁那年被蛇咬了之后，师父曾苦口婆心教导我野外生存法则，就是晚上千万不要出门……

因没钱住店，夜里出门实属不可避免。逃亡的这十天，每夜我都找一棵高大的树蹲着，好歹躲过一些杀伤性野生动物的视线。

但今夜我想赶路，想去看看璧山上重逢慕言的那片花海，其实这件事也可以明天再来完成，只是萌发这个念头，便一刻也等不得了，仿佛要去见的就是慕言本人。转念一想，觉得万一他真的就在那里等着呢，马上很开心，再转念一想，万一他等的是其他姑娘呢，马上很悲愤，真不知他是在那里等着好还是不等着好。

我一路纠结这个问题，一时喜一时忧，完全没有意识到此时外部环境是多么险恶，猛然听到背后"嗷"的一声，被吓了一跳。正要转头去观察是个什么状况，却被一股力猛地一拉，身子不由自主地向后倒。我想完了，身上这套白裙子又得洗了，腰却在此时被一只手稳稳揽住。

背部撞上某种坚硬物什，不能感受它的温度，但我知道，那是一方宽阔胸膛。

我愣了一下，喉咙发紧。

额头上响起熟悉的戏谑："半夜走山路，不会小心点吗？"

我张了好几次口，都说不出话来，慕言，明明这个名字在心中念了千遍万遍。我急得要哭出来，生平第一次感到不能随心所愿的悲凉。我想说出一句好听话，让他印象深刻，却连他的名字都叫不出来。

他松开揽着我的手，将我放得端正，从上到下打量我，眼底有笑意："一月未见，君姑娘竟不认得在下了？"那笑容淡淡的，要划伤我眼睛，我觉得开心，想让这开心更长久一些，却不知说什么好，憋了半天，道："二十五天。"又道，"阿拂。"

月光下，他眉目依旧，一身玄青衣衫，手里握一把软剑，剑尖染了两滴嫣红，腰间佩戴的玉饰在夜色下泛出温软蓝光。

我看着他，这个风姿翩翩的佳公子，他是我的心上人。

前一刻想着要见他，后一刻就真的见到他，我很高兴，但一低头看到糊满黑泥的绣鞋和满是尘土的裙裾，立刻想装成不认识他的陌生人。

他挑起眉毛："二十五天？阿拂？"

我将脚往裙子底下缩了缩，回答他："我是说，我们这么熟了，你就不用姑娘来姑娘去了，叫我阿拂就行，还有，我们没有分开一个月，只分开了二十五天。"半晌无人答话，我悄悄抬头瞟他一眼，没见他有什么特殊表情，猜测他多半是不相信，想了想，掰着手指同他细算，

"你是五月初十走的，今天六月初五，你看，果然是二十五天……"

他却打断我的话："阿拂。"

我说："什么？"

他笑道："你不是让我叫你这个名字？"

山间万籁俱寂，只有他说话的声音，偶尔能听到夏虫啾鸣，都被我自行忽略。我想我的脸一定红了，幸好有面具挡着。但转念一想觉得这个想法不对，倘若没有面具，说不定就能让他猜出我的心思。虽说注定不能有什么结果，可如果能有这样的机缘让他知道，说不定也好呢。

他低头看我，仿佛是等待我的回答，我咳了一声，不自在地往后瞟一眼，正想说"嗯"，但这一瞟吓得我差点瘫软在地。

一望无垠的黑色山道上，一具狼尸斜躺在我身后，绿幽幽的眼睛睁得大大的，已毫无光彩，脖颈处正冒出汩汩鲜血。

看我表情，慕言似笑非笑："你该不会一直没发现背后跟了头狼吧？"

我点头表示确实没发现，并且腿脚打战，仅凭一人之力完全无法自行移动。他将我拉开狼尸一点："那你也没听见我一剑刺过去时，它在你耳边嗷地叫唤了一声？"

我想象有一头狼竟然流着口水跟随我许久，如果没有慕言，此时自己已入狼腹，瞬间就崩溃掉，眼圈都红了，后怕道："那么大一声我肯定听到了啊，我就是想回头去看看是什么在叫……"

他拍拍我的背："别怕，不是已经被我杀掉了吗，你在怕什么？"拍完皱起眉头，"说来君兄弟和你养的那头老虎呢？怎么没跟着你，叫你一个小姑娘这么晚了还在这山里晃荡？"

我抹了抹眼睛："他们私奔了。"

慕言："……"

我就这样和慕言相见，虽然心中充满各种浪漫感想，但其实也明白他在这个难以理解的时刻出现在这个难以理解的地点，绝不是一件可以用类似有缘千里来相会这种美好理由解释的事情。

我有许多话想要问他，趁他俯身查看狼尸时在心中打好腹稿，正要开口，前方林子却突然惊起两三只夜鸟。

七名黑衣人蓦地出现在我们眼前，就像从地底钻出的一般。

我想这可真是历史重演，敢情又是来追杀慕言的，正要不动声色退后一步，再退后一步，再再退后一步。还没等我成功退到慕言身后，面前的黑衣人却齐刷刷以剑抵地，单膝跪在我们跟前："属下来迟了……"声音整齐划一，仿佛这句台词已历经多次演练，而与此相辅相成的是，每个人脸上都露出羞愧欲死的表情。

我收拾起惊讶，转头看慕言。他已收好手中软剑，容色淡淡的，没理那些黑衣人，反而问我："还走得动？"

我茫然地望着他。

他嘴角噙了笑："你不是害怕得腿软了吗？"

我立刻反驳："我才没有腿软。"

他摇头："睁眼说瞎话。"

我说："我，我才没有睁眼说瞎话。"

他好整以暇地看着我："那跑两步给我看看。"

我说："……"

慕言说得对，我是在睁眼说瞎话。

我确实吓得腿都软了，刚才危急时刻退的那几步，只是超常发挥。人人都有自己的软肋，我的软肋就是狼和蛇。只是被慕言那样直白地说出来，有点受伤。

因这样就腿软未免显得懦弱，我不想被他看不起。如果是君玮来问我，我一定会恶狠狠回答他："老娘就是腿软了你奈老娘何？！"

可慕言不同，我只想给他看我最好的一面。这道理就如同不想让心上人知道自己其实也要上茅厕那样简单。不过话说回来，我也确实不用上茅厕。

正沉浸在伤感中，耳边一声"冒犯了"，身子忽然一轻，被慕言凌空打横抱起来。不知谁抽了一口气，四周格外静，这口气便抽得格外清晰，而我抬头，只看到天空月色皎洁。虽是打横抱起我，他走路依然闲庭信步，丝毫不见累赘模样，只是路过地上跪得整齐的黑衣人时，微微驻了驻足。

大家纷纷低下头，慕言的声音在这空旷山间轻飘飘响起："知道什么是护卫？你们的剑要拔在我的前面，这才是我的护卫。"

嗓音淡淡的，却让跪在地上的黑衣人齐刷刷更深地埋了头颅。这是贵族门庭里久居高位者长年修养下来的威严，我之所以并不吃惊，只因在卫王宫中也有耳濡目染。就好比我的父王，虽然治国着实不力，但还是能用这种威严成功恐吓住他的夫人们……

正想得入神，不期然抬头，发现跪在正中间的一个黑衣人突然站起来沿着鬓角扯自己的脸皮。我没反应过来，不知这是个什么事态，愣愣问慕言道："他在做什么？"

他看我一眼："你说呢？"

我自问自答："看上去像是在扯人皮面具？"

就在我们说话间，黑衣人果然从脸上扯下一张薄薄的人皮面具，呼了两口气："闷死我了。"我仔细打量她，讶然发现呆滞的一张面具底下竟藏了张姑娘的脸，眉清目秀的好看的脸。

慕言眉毛挑了挑，淡淡道："我还想他们近日越发不成器，一路潜过来居然还惊起飞鸟，原来是被你拖累的。"

姑娘却丝毫不以为意，嬉皮笑脸地凑过来："其实也怪不得他们，要将剑拔在哥哥你前面才有资格做你的护卫，既是这个要求，那天下没几个人能做你的护卫啦。唔，给我看看你怀里的这个，我还以为你对秦紫烟痴情得很呢，这个是我未来的嫂嫂吗，你终于放下紫烟啦？哎，嫂嫂？你是我的嫂嫂吗？我是慕仪，你叫什么名字……"

我颤了一下，抿住嘴唇，慕言低头打断她："阿拂还是个小姑娘。"

慕仪讪讪地："那你对紫烟……"

我听着他们的对话，一时心中发沉，可我和慕言紧紧贴在一起，并没有发现在提到紫烟时，他有什么特别反应，但也有可能是人家反应了我没感觉到。毕竟我的感觉大部分已经消失，还剩的那些也着实不够灵敏。

慕言没有回答，只淡淡扫了一眼仍跪在地上的黑衣人，道："先回营地吧。"

他抱我走在前面，其他人尾随在后。能被他这样一路抱回去，我应该觉得赚到了，但还是抑制不住心中的难过，那个紫烟我还记得。我想，为什么我没有早一点找到他呢。

月色从林叶间洒进来，一地斑驳光晕，像被刀子仔细剪裁过。我憋了半天，觉得眼角都红了，却只憋出来蚊子似的几声哼哼，我说："那姑娘不好，她要杀你，你不要喜欢她。"

慕言微微低了头："什么？"

我抽了抽鼻子，却失去再说一遍的勇气，抬头看着天空："没什么，你看，今天晚上星星好圆。"

半晌，慕言道："你说的……可能是月亮……"

飞鸟还巢，夜凉如水，一切活物都失去踪迹，走在崎岖山间，不说话就显得十分寂寥。与慕言离别之后，这一路其实无甚可说，想了好久，只有十三月的故事比较迷离曲折，可以当成一桩新鲜事，在悠长山道上慢慢讲给他听。其实我到现在都没搞懂十三月为何自杀，并且越搞越搞不懂，讲起这个故事来，结局未免含糊仓促，但慕言的关注点显然不在结局上。

"你是说，只要选择留在你为他们编织的华胥之境里，不管那事主在幻境中是活着还是死了，现实中，她都逃不过魂归离恨天的命数？"他微微低垂着头问我，因正逆着月光，看不清面上表情，只是漆黑发丝拂在我的脸颊，想象应是惹了柳絮的微痒。

慕言口中的营地位于一处宽阔山坳，基本上我们着实走了一段路程才到此处，我却只嫌这一路太短，从而再一次验证了相对论不是胡说八道，可以想象，假使这一路是君玮同行，我一定觉得路途遥远并且半路就要睡着。

今夜我同慕仪共睡一顶帐篷，可势必要等她入睡才敢安寝，只因害怕被她发现躺在身旁的是个死人。但慕仪丝毫不能领会我的苦心，执意陪我一起坐在帐篷跟前看星星。

从她口中，得知今夜能在此处巧遇慕言，果然不是有缘千里来相会，只是他处理完家中一些变故，取道璧山回离家万里的自己的府邸而已。我一想，觉得有点欣慰，看来他是和父母分开住，倘若嫁过去就不用伺候公公婆婆。但再一想，觉得自己真是想多了。

我踌躇地望向月光下眉飞色舞的慕仪，问出一直想问但是没人解答的问题："你哥哥他，他今年多大？娶，娶亲了没？"

慕仪愣了一愣，端起面前茶盏凑到嘴边上，乐呵呵瞧着我："这个嘛……"

我觉得胸口的珠子都提到嗓子眼儿了。

她喝一口茶，继续乐呵呵地瞧着我："这个嘛……"

我想一把捏死她。

其间，她又喝两口茶，咽了回嘴，再喝两口茶，才缓缓道：

"未曾。"

我默默地控制着自己的爪子不要伸过去，可她自己兴致勃勃地凑上来："你问这个是要做什么？"

我咳两声，往后坐一点："没什么，我有个姊妹，想说给你哥哥。"

她眼睛亮晶晶地望着我。

我掩住嘴角再咳两声："真的。"

她撑着头，笑眯眯望着我："哥哥他很欣赏你的，在我们陈国，思慕哥哥的美貌姑娘手牵着手能将昊城围一圈，他可从不正眼瞧她们一眼。今日你腿脚不好，哥哥他居然主动行你的方便，要是被陈国那些思慕他的姑娘知道了，你会被她们打死的。"

我不甘示弱、不动声色地说："从前思慕我的人也很多的，要从我们家门口那条街的街头排到街尾的。"当然，这些人一半为钱而来，另一半为权而来，这些就不用说了。

慕仪眨了眨眼睛："哇，那你和我哥哥还满登对的嘛。"

听到她这样说，我心里其实有点高兴，但还是不动声色地说："不要乱讲，你哥哥不是已经有心上人了吗，那个紫烟姑娘什么的……"

却被她挥挥手打断，摇头道："她没戏了，她既敢行刺哥哥，此生便没做我嫂子的福气了。"

我疑惑道："难道只有搞地下情了？"

慕仪扑哧笑出声来："你可真好玩儿，我和你说啊，出了这样的事儿，父亲断不能容许哥哥娶紫烟的，再说，哥哥那个人，风月这等事还……"

话没说完想起什么似的道："说起来，阿拂你要真对哥哥他上心，和紫烟相比，有一个女子你倒要记得。"

她收起笑容看着我："哥哥他此生唯一敬重的女子，想必你也听说过，前卫公那个殉国的小女儿，名动天下的文昌公主叶蓁。"

慕仪说起那桩事，只是半年之前的事，却恍如隔世，融融月色下她握着白瓷杯皱着眉头追思："我没见着那个场景，只听说卫国许久没下雨，叶蓁殉国时却天降骤雨，人人都道那是上天为文昌公主的死悲伤落泪。说是百丈的城墙，叶蓁翻身就跃下，无半点迟疑，就连陈国的将士也感佩她的决绝。哥哥称叶蓁绝代，说大晁分分合合这么多年，只出了这么一位因社稷而死的公主，若不是个女儿身，年纪又不是这样小，该是要做一番大事的。我也觉得可惜，说叶蓁长得美，又有学识，本该要以才名垂青史的，就这么早早地去了，可恨生在帝王家啊帝王家……"

我说："你说这么多，其实是想说……"

她放下杯子挠挠头："啊……对啊……我刚才是想说什么来着？"

我抚着自己的心口，感受不到心跳的声音，半晌，道："生在帝王家，本该如此，从小享那么多特权，势必有责任要担。叶蓁也是死得其所，在其位就要谋其事，行其道，当其责，天下百姓将她奉养着，拿百姓的供奉不说可恨身在帝王家，要担着身上的责任时却来说可恨身在帝王家，若是如此，就委实是可恨了。"

说完觉得我们的话题正在向一个高深的方向发展，赶紧悬崖勒马。

我说："我们说到哪儿了？"

对面慕仪呆呆看我半晌："我也不知道……"

其实我也可以不睡觉，就好比我可以不吃饭，不喝水，不上茅厕，不穿衣服……衣服还是要穿的。活到我这个境界，基本上就把这些都当兴趣了，有兴趣就找点东西吃，就睡睡，就上上茅厕，虽然注定是上不出来……

反正只要有鲛珠在，一切都能被净化，包括此时本该萌生的睡意，包括半刻前给慕仪面子才吃下肚的一个看上去酸不溜丢的小番茄。总

之没有什么不方便，一切都方便许多。

我们俩大眼瞪小眼坐了很久，终归是慕仪败下阵来，打着哈欠撩开帐篷去睡觉了。我抚着心口，仍然感觉不到有什么响动，但心里是很甜蜜的。

慕仪说他哥哥很敬仰我，类似的话我也听过许多，只是从前一直觉得敬仰我跳楼的人真是有病啊，要不就是被强迫的，因真正值得敬仰的该是乱世里横刀立马功垂千秋的英雄，成王败寇，我不过是个败寇，以死殉国，算是没出息的了，可恨不能天仙化人，力挽狂澜，终归是心有余而力不足。当然，那些没殉国现在还活得好好的兄长和姐姐更没出息，可不过五十步笑百步，大家都没出息，也没什么好彼此取笑的。

天高地远，群山连绵。我起身活动筋骨，转头一看，却看到远处另一顶帐篷前低头摆弄着什么的慕言，面前一堆燃得小小的篝火，周围是无边夜色，他颀长身姿就倒映在微微的火光里，看来也是无心睡眠。

我想，这样适合两人独处的好时候，我是蹭过去呢，还是不蹭过去呢。

就在思考的过程中，已经三步并作两步地蹭了过去。

这个行为真是太不娇羞。君玮曾和我讲过许多类似故事，故事中那些大家闺秀遇到爱慕的男子都"窃窃不胜娇羞"，那样才能惹人怜爱，但我着实不能参悟什么叫"窃窃不胜娇羞"，而且只要遇到慕言，手脚总比脑子快一步。

我凑过去："你在干什么？"

他手中的刻刀缓了缓："雕个小玩意儿，打发时间。"说完抬头看我，皱眉道，"还不睡？这么晚了。"

我本来就不想睡，看到他就更不想睡，可又不能这样明明白白地说出，支吾了两声，蹲在一旁看他修长手指执着刻刀在玉料上一笔一笔勾勒。

半晌，慕言突然道："对了，我的玉扳指还在你那儿吧？"

我摇摇头："当了。"

他停下刻刀："当了？"

我垂头假装研究他刻了个什么，蚊子似的哼哼一声："嗯。"

他没再说话，继续专注于手中的刻刀和已成形的玉料，不久，一只小老虎就活灵活现地落在手中。

我发自肺腑地赞叹："真好看。"

他将小老虎握在手里随意转了转："是吗？本来还打算用这个来换我的玉扳指的。"

我想了一会儿，默默地从领口里取出用红线穿起来的扳指放到他手中，又默默地拿过刚刚出炉的玉雕小老虎。

他愣了一愣。

我说："这个老虎明显比较贵一点，我还是要这个。"

其实才不是，我只是觉得，那扳指是死物，但这个老虎是慕言亲手雕的，虽不是特地雕给我，但全大晃也只此一件，我就当成是他亲手雕来送给我，以后想起，心中就会温暖许多。可是还是有点不甘心，怯怯地凑过去："你，你能把这个小老虎重新修改一下吗？"

他端详我递过去的小老虎："哦，要修改哪儿？眼睛还是耳朵？"

我端端正正地在他面前坐好："你看，你能不能把它修改得像我？"

慕言："……"

终归他有一双巧手，不仅琴弹得好，雕这些小玩意儿也不在话下，周围开满了半支莲，五颜六色的，被火光映得发红。他的目光扫过来，望着我时，让人觉得天涯静寂，漫山遍野白梅盛放，但我却再不能闻到那样的味道。

他笑了笑："要雕得像你，那就得劳烦你把面具摘下来了，否则怎么知道我雕出的这个就是你？"

我心中一颤，喉头哽咽，摇了摇头。

他轻轻道："为什么？"

我摸着脸上的面具，往后缩了缩："因为，因为我是个丑姑娘。"

我初遇他，只有十四岁，那时娃娃脸尚未脱稚气，等到最好看的十七岁，却连最后一面也未让他见到。直至今日，额头上长出这一条长长的疤痕，无论如何都不能让他知晓。我看着自己的手指，第一次因毁容而这样沮丧。我想给他看最好看的我，可最好看的我已经死了。面具底下流出一滴泪来，我低头吸了吸鼻子，幸好他看不到。

这一夜我抱着慕言雕给我的小玉雕，睡得很好。直到半夜，不知道被谁弄醒。睁开迷迷糊糊的眼睛，隔着面具揉一揉，再揉一揉。

花对残月，送给我玉雕的人在月下淡淡笑道："别揉了。"

他伸手要拉起我，宽大的衣袖就垂落在我身旁："来，我们抓紧时间离开。"

我眯着眼睛看他，就像看乍然出现的天神，仔仔细细地，连他一眨眼隐约的笑意都不放过，我说："去哪儿？"

他垂眼瞟了瞟躺在我身旁的慕仪，不急不徐地："你不是说至今仍疑惑郑国月夫人那桩事吗？我们去郑国解开这桩事，说不定半路上还能碰到君兄弟和小黄。"顿了顿又道，"别担心，我这些护卫一时半会儿还醒不了，他们跟着也是累赘。我们连夜赶路，甩掉他们，往后一路都轻松。"

我将手递给他，想了想道："终归还是要留封书信的，免得他们担心呀。"

他轻飘飘拉起我："不是多大的事儿，从十二岁开始我就常独自离家，他们应该习惯了。"

我理理身上的裙子，又有点担忧："但是，但是我就这么跟着你走了，算不算私奔啊？"

慕言："……"

第三章

越过璧山，深入陈国腹地。

我们放弃取道姜国的打算，转而从陈国之东绕道赵国前往郑国，以方便彻底甩掉慕仪与那队黑衣护卫。最后取得了成功。

这样一路奔波，本应劳累非常，但因是同慕言一道，就完全没有觉得。我私心里希望行程慢一点，再慢一点，可是没有小黄拖后腿，这个愿望变得难以实现，我已经尽量磨磨蹭蹭，但仍然很快就来到赵、郑两国边境。

月上中天，流光飞舞，我们找了家客栈，各自回房安歇。我躺在床上，一边计算到达郑国四方城的路程，一边默默地思念小黄，心中有点感叹，为什么好不容易需要它一次，它却偏偏不在呢，多么不招人喜欢的一头老虎啊。

第二日大早，洗漱完毕下楼用早饭，慕言已在大厅等待。他身上换了袭水蓝色织锦袍，在晨光的蓝霭中，朦胧似披了霞光雾色。我停下脚步，想，果然，这世上再没有人比他更适合穿蓝色了，谁要敢在他面前穿蓝色简直是自取其辱。

又想，下回看到君玮时一定要好好劝诫他，鼓励他还是坚持往白衣少侠这个方向发展，不要因为蓝色比较不容易脏就转而开始穿蓝衣服。观看过慕言的蓝衣风姿再来观看他，对比下来真是很难让人产生审美的愉悦感。

想完之后继续下楼，顺便还理了理裙子，抬头时看到原本侧头望着窗外的慕言不知什么时候已转过头来望着我，目光相接时冲我微微一笑，导致的直接后果是我扑通一声摔下了楼梯……

饶是慕言身手极好，这一次也没能成功接住我，因毕竟不是七楼到一楼的距离，只是第七级楼梯到地面而已，垂直距离过近，离他的水平距离又过远，更不用说中间还有桌子、板凳之类障碍物。

可悲的是在背部触地这电光石火的一刹那，我想到的居然不是裙子会不会被弄脏之类，反而福至心灵地觉得这一跤摔得真是好，这样就有理由装病在这边境小镇逗留了，就能，就能多和他待一些时候了。

只恨从前没有想到用这样的办法自力更生，一心寄希望于千里万里之外不知在做什么的小黄。但要装出一副身受重伤的模样真是何其艰难，我努力回想肉体的疼痛究竟是怎么一回事，却在回想起之前就被慕言一把从地上捞起来："走个楼梯也能摔倒，你多大了？"

我假装咻地抽一口气，表示我很痛苦。

他蹙眉调整抱我的姿势："摔到哪里了？"

我愁眉苦脸地看着他："哪里都摔到了。"

他顿了顿："先带你去看大夫。"

我一惊，想这下玩笑开大了，赶紧从他怀里挣起来，干笑道："哪里都没摔到，我不去医馆，我跟你开玩笑的。"

他目不转睛地看着我。

我擦了把额头的汗，保持干笑："去医馆就太兴师动众了，你看，我挺好的，我就是和你开开玩笑，我小时候就常常摔跤，摔，摔习惯了。"

他皱眉："真的？"

我重重点头："嗯，真的。"

他依然皱着眉："小孩子正是长身体的时候，骨头若是错位了，将来麻烦就大了。"

我说："我十七了。"

他不置可否地笑笑，开口时已转移话题："既然没事儿，那先用早饭吧。"走了两步又回头问我，"阿拂，你要吃点儿什么？"

慕言终究没将我带去医馆，但我一直忐忑，尽量表现出生龙活虎的模样，走路都开始一蹦一跳，因为不生龙活虎就可能被送去医馆，接着被发现是个活死人，然后被送去什么不可思议事物研究机构之类。

估计我蹦跶得太厉害，疑似回光返照，令慕言微觉头昏，更加认为我需要好好休息一下，遂决定在这边境关市逗留一夜。

赵、郑边境关市繁茂，什么都有卖的，有羽人少女额发编成的如意结，有据说某个谢世多年的美男子戴过的头巾，还有种赵国特产的晒干的白虫子，传闻可以用来泡水治疗相思病。

我对这个白虫子抱有极大兴趣，觉得倘若果真具有奇效，就可以买一点碾成粉末混在慕言的饭菜里端给他吃，让他忘记秦紫烟重新开始。

但咨询过小二，发现这个只能泡水喝，总不能把这个白虫子泡好水之后倒进慕言的饭碗里对他说："喏，给你加个餐，这个你看着好像是虫子……其实它确实是虫子，但它不是一般的虫子……"估计我话还没说完他就会把饭全部倒掉，这就太浪费粮食。

边地人擅酿酒，午饭用了乳糖真雪、雪泡梅花酒、酒酿圆子之类，依然是慕言付钱，然后被他领着去集市旁一座风雅茶楼听评书。我们不再继续逛街。

被我遗忘很久的君玮有一个观点，他认为只要是男人就不会热爱陪同女人逛街，因为假如女人看上什么，势必让男人付钱，男人充当的不过是个钱袋子罢了，未免有点伤人自尊，而假如女人不看上什么……这个假如不成立，这简直是不可能的一件事。当然，这个狭隘的观点不能用在我和慕言身上，我们去茶楼里听评书，只因头顶六月的太阳太滚烫罢了。

茶楼里座无虚席，只好在楼梯口与人拼桌。慕言从袖中取出一把折扇，摊开来，是把未著扇面的十二骨纸扇，扇子摇起来，有凉风拂面。讲评书的老先生正襟危坐，正讲到肃杀处："五月十五是个月夜，那二公子苏榭听内监传来密报，说'陈侯久病多日，岁时一刻咽下了最后一口气，薨逝时只得宰相尹词在榻前随侍，半刻前尹词已派心腹八百里加急前去迎世子苏誉回国承爵位。二公子若要起事，今夜是良宵，若容世子誉回国，一切便无可挽回'。苏榭苦心经营多年，等的就是这一日、这一时。老父驾鹤西归，本该承爵位的兄长此时又因情伤浪迹天涯，再没有比这更好的时机了。当夜，苏榭便起事逼宫，一路势如破竹，直杀入王宫。卫尉光禄勋临阵倒戈，七十里昊城被火光映得如同焚城，整个王都都弥漫着血和松脂的气味。在这场世子缺席的宫变里，人人都以为大局已定，下一任陈侯当是苏榭无疑了。可世事难料，还不等苏榭将染血的宝剑收进鞘里，紧闭的宫门突然吱呀一声缓缓打开……"

我说："这扇宫门定是年久失修。"话说完才惊觉讲评书的老先生无力为继，正喝水换气，而茶楼里众人还沉浸在宫变的肃杀气氛中没缓过来，整个二楼一时静寂如暗夜，显得我这一声感叹格外清晰……

　　慕言摇着扇子，眼中有笑意，却没说什么。我吐了吐舌头，趴在桌子上接受众人鄙视。

　　窗外烈日当空，柳叶被晒得卷起，藏在浓密叶荫里的鸣蝉声嘶力竭。老先生喝完水继续道："传说陈世子苏誉训养了三百影卫，这些影卫化开了是三百柄利剑，合而为一便是一支锐不可当的骑兵。在这一夜之前，关于陈国影卫之事，大多只是传说而已。就在苏榭逼宫起事且大局将定之时，大开的宫门后，三百影卫骑着铁蹄骏马第一次现身开道。影卫的铁蹄在宫门后清扫出一条苍凉血道，光色暗淡的正宫门处，缓缓踱出一匹乌蹄踏雪，本该远在千里之外的苏誉活生生坐在马背上，手中还提了卫尉长官邢无阶血淋淋的首级。事态瞬时急转直下，卫尉几个副官一半都是被世子誉或明或暗地提拔起来，苏榭纵是添了翼的猛虎，此情此境也难以招架……"

　　我觉得自己快要睡着，那评书只得一个回音在耳边缭绕，我努力撑着头，轻声道："这故事真长啊。"

　　慕言喝了口茶："你想听最后结果？结果挺简单，陈侯其实没死，只是昏睡了一段时日，醒来看到不肖子竟趁着自己病重逼宫，当即将其赐死。二公子苏榭被处死没几天，陈国的邻国唐国被晋国攻打，唐国前来求助。陈侯一来才受了刺激不久，二来想着唐晋之战作壁上观说不定能得渔翁之利，不愿出兵。世子苏誉力谏陈侯出兵助唐，扯了好几天，最后陈唐联军大败晋国。"说完略抬了眼皮看我，"这些打来打去的故事，你一个小姑娘肯定不愿意听。"

　　我看着他都快哭了："我只是觉得这个故事有点长，但没说不想听啊，你为什么要剧透给我，还是这么清晰的剧透，我恨死你了！！！"

　　慕言："……"

　　一壶茶将要饮尽，老先生的评书也讲到唐晋之战，快接近尾声，窗外仍有日影，透过老柳树的垂绦柔柔地照进来，在墙壁上晕出几块光斑。我被慕言剧透完之后就再也睡不着，趴在桌上百无聊赖地观看世态人生。

片刻，慕言突然道："这里的评书讲得不错，虽然大多言过其实，当故事来听听，倒也挺有趣。"

话到此处，正有血气方刚的青年喊声道，"苏誉也不过如此，若是我，唐晋两国争战，必不去蹚那浑水，待它二国两败俱伤，捡个现成便宜，岂不正好。"周围多有附和之声。

我摇了摇头，有点不以为然地伸手拿壶添茶水。

慕言漫不经心地收起扇子："你有话想说？"

我飞快瞟他一眼，低头讷讷道："算了。"

他帮我添上水："怎么？"

我说："因为说来话长，然后你又要让我吃饼吃饺子什么的，吃完我就又忘了。"

他帮我加水的手抖了抖，笑出声来："这次我不让你吃东西了，你有话就说吧。"

我说："哦，也没什么，只是有点感叹，想说，其实人生就像钟摆，看似只有左右两个可能，其实确实只有左右两个可能……你可以说钟摆摆动的过程中延展了无数可能，但那不是可能，只是通往可能的路径，最终你不是摆到左，就是摆到右。一切皆有可能，但所谓一切也不过或左或右两种可能，只有居中不变万万不能，除非钟摆坏掉，而那是生命静止的模样。"说完舔舔嘴唇，问他，"你听懂了吗？"

他表示没有听懂。

我想这可如何是好，想了半天，想出一个例子，来简化我的意思，道："其实就是说，好比这世间，这世间不是女人就是男人，当然人妖也不是没有，但你要是中庸地去当人妖，就一定会受到社会歧视，而

且很难找对象。"再舔舔嘴唇，"你听懂了吗？"

他表示还是没有听懂。

我恨铁不成钢地道："其实很简单嘛，我就是想说，这情形就像苏誉，假使他寻求中庸，作壁上观，往后必然难以在诸侯之中寻求同盟。这些人都想得太容易，殊不知乱世就如同一场人生，非彼即此，非此即彼。倘若国家不是足够强大，基本上没什么资格中庸，乱世里的圣明君王，理所应当立场鲜明。当然，若这个圣明君王已经是一方霸主就没什么好说的了。"我咬牙切齿道，"这次你听懂了吗？"

他眼里含笑，一本正经看着我："我说，要不要吃点东西，我们吃完再说。"

"……"

前后想想，这已是我第二次在公众场合听人谈起苏誉。

半年前，这个人率十万铁甲谈笑间大败卫国，用兵之从容诡谲，将帝都里喜爱联系时事的选官考试难度系数再拔新高，搞得一众落榜的考生通通仇视他，荣获年度最不讨知识分子喜欢的政治人物之首。

由此就可看出苏誉此人日后必成大器。这并不是说他年纪轻轻就位高权重或者带得一手好兵什么的，只是历史上能影响现代选官考试的人基本上都死绝了，他是有且仅有的一个活人，着实令人刮目相看。而且能同时被那样多的人仇视，也是一种证明，证明你长得特别帅，家里特别有钱，或者特别有能力什么的，就算以上都不是，至少证明你这个人很有存在感……

无论如何，这一天过得非常充实。

天幕漆黑，夜风撩人情思，我坐在灯前写下当天心得，收拾收拾就准备睡觉了。刚熄灭烛火，两步之遥的窗户突然极短促地啪嗒一声，有人落在地上，樟木地板微微一动，我凛声道："谁？"

有冰冷物什刹那间抵住脖颈，而此时我的手正忙着掏怀里的火折子。后来有无数个时刻回忆起这一幕，都觉得自己当时处变不惊得很显英雄本色。但其实只是不清楚抵在脖子上的到底是什么。尔后呼啦一声，火折子亮起，我小心翼翼低头看一眼，雪亮雪亮的，是把短刀。

朦胧火光勉强照亮屋中一角，地板上一双白边绣鞋，绣鞋之上是紫色的裙摆，暗夜里用短刀抵住我的女子轻声一笑："刀剑不长眼，姑娘再乱动，小心被割断喉咙。"

笑声近在咫尺。我斜眼瞟过去，想看看这人到底是谁，目光对上她的眼睛，却悚然一惊。我在郑王宫里见过这张脸，像水墨画里勾出来似的，一模一样的一张脸。十三月。

但华胥引绝无可能失手，不像君师父研制出来的毒药，基本上毒不死人，看着好像把对方毒死了，举办丧事的时候人又诈尸了。

我清楚记得，半个月前，五月二十五的夜里，郑王宫裕锦园里一场荼蘼花事下，我一曲华胥调亲手了结了十三月的性命。此时她本应是躺在地底下一具森然的白骨，即便容浔采取什么特殊方式保存，也应如我一般面色苍白周身死气。当然死气这个东西一般人很难看得出来，就算看出来了也只会觉得那是一种与众不同的气质……但面前十三月红润的脸色且比上次所见浓丽得多的眉眼，着实无法让人将她和如我一般的死者联系起来。

我看着她："我不认识你，你是谁？"

她靠近我一些，眉心微皱，唇角却勾起来，缓缓抿出笑意："一个路人罢了，借姑娘的房躲一躲仇敌，换一换伤药。"

短刀来回抚我的脖子，估计是想起到威慑效果，但我感觉着实迟钝，也就难以配合。她眼中笑意益盛，嘴角越发地向上勾："姑娘好胆识。"就像是夜风吹过来的一声叹息。而下一刻她已猛然将我推到门板上压住，短刀擦着头发钉入木头门，眼中的笑半分未减，也不知是笑得真心还是假意，话却放得柔柔软软："在下方才所说，姑娘是依，还是不依？"

我赶紧点头："依，我依。"结果一颗小药丸在开口瞬间突地钻进喉咙，一路滚到肚子里。我闭嘴默默地思考一个问题，"毒药这个东西，鲛珠是能净化呢，还是不能净化呢？"

面前紫衣女子自报家门说叫莺哥，但我显然不会相信。因名字的意义早在上一篇章我们就认真探讨过，得出的结论是，出来行走江湖的谁能没有几个艺名呢。

投完毒后，莺哥坦然地坐在客栈的木板床上指挥我："伤药、绷带、清水、刀子、烛火。"边指挥边皱眉解开衣襟，露出受伤的肩膀，肩背处长年不见太阳的肌肤在烛火照耀下泛出莹莹白光，其上缠绕的厚实绷带却被血渍浸得殷红，像一朵富丽堂皇的牡丹，盛开在雪白肩头。

她要的东西基本上全是现成的，我将止血的伤药递过去，看到她绷带下一弧见骨的刀伤，舔舔嘴唇道："挺疼的吧。"

她偏头看我，明明嘴唇都咬出红印，眼里却仍聚起半真半假的笑意："你猜猜，嫁人前，我干的什么营生？"

我摇头，表示既不知道她竟已嫁了人，也不知道她此前干的什么营生。

她将短刀放在火上烤一会儿，突然闭上眼睛，刀子刮过伤处，利索地剜下一块腐肉，房中静了半天，良久，听到像从地底冒出来的粗嘎嗓子，断续地轻声道："那时候，我是个杀手，日日刀口舐血，杀人，被杀，鬼门关前走了好几遭，什么样的痛没有受过。"她笑了两声，在暗夜里清晰得有点恐怖，"不想闲了几年，如今，连这种程度的痛都有些受不住了。"

说完缓了会儿，又在伤口撒好药粉，额头上汗涔涔的，却勾起唇角："姑娘可是怕了？在下只叨扰这一晚，明日一早便离开，姑娘今夜的照拂，在下先谢过了。"

我心中觉得这其实没有什么可怕，也不知道她为何有此一问。况且，要说害怕也该是她害怕，你想想大半夜和一具尸体同处一室并且这具尸体还和你面对面交流人生感想，换位思考一下，确实有点可怕。

而我在想完上述废话之后，心中突然一动，觉得抓住了点儿什么，我问她："莺哥是你的真名？"

她歪在床头，脸色惨白，额间仍有细密汗珠渗出，却扬了扬眉毛，真不知道在这样痛苦的时刻怎么还能做出如此高难度的动作，声音仍是剧痛后的粗嘎，好在已有些力气："真名又如何，化名又如何，打十一岁开始，就没人再唤过我这个名字了。莺哥，莺哥，你说，其实这名字不是挺好听的吗。噗，你别这么一脸探究地看着我，也不是个多有来历的名字，我生在穷人家，生下我们两姐妹来，爹爹提着半罐子腌菜求村里的教书先生给起个好养活又文雅的名字。我比妹妹哭得响些，就叫莺，可黄莺是贵气鸟儿，又爱娇，穷人家的，又是个女孩儿，哪里当得起这个字。教书先生想了想，就在后头安了个哥字，是安给天上的神灵看的，让神灵以为我是个男孩儿，就当得起这个莺字了。"

我定定地看着她，做惊讶状道："这倒挺有趣的。"又做漫不经心状道，"你说你还有个妹妹？那你妹妹叫什么名字？"

她迷蒙的眼光从头到脚打量我，模糊笑了笑，道："忘了。"

这世上不可能有毫无道理就长得一模一样的两个东西，连同一只母鸡下的蛋都婀娜多姿各有千秋，何况是人。

我想过很多，比如莺哥和十三月两人其实是一人，结果被迅速否定；又比如莺哥这副模样其实是照着死去的十三月整的容，但为什么她非要整成十三月的样子又成为一个新的问题。还有一种可能，假设华胥之境中十三月口中的姐姐并没有死，这个让十三月心伤得最终以死作结的姐姐，会不会就是莺哥？

伤药中加了镇痛宁神的东西，这让莺哥在换好绷带之后很快就入睡，难能可贵的是居然没有忘记在睡前扯块布将我的手脚绑起来。

我躺在床沿看她紧紧闭上双眼，眉心微皱。想我和慕言一路奔波，要找的答案就在眼前，只是这答案是枚坚果，暂且还不知如何下手。

心中一时烦乱，难以入眠。过了约一个对时，月光入户，房中传来吱吱声，一只老鼠悄悄爬上灯台偷灯油。我睁大眼睛细细观赏，背后却突然传来细微抽噎，老鼠吓得哧溜一声溜下桌，我则直接滚下了床。

艰难地从地上坐起，莺哥并未醒来，青丝里一张雪白面颊遍布泪痕，仍有泪珠沿着紧闭的眼角滴落，滑到瓷枕上，盈盈的一滴，只是再无抽噎。我跪在床边将身子探过去一点，更仔细地看她，想她大约是在做梦，也不知做的是怎样的梦。

这坚果终于露出一条缝来，想要敲开她，此刻正是良机。但这又涉及一个道德问题，就是到底该不该用鲛珠的力量去窥探别人的梦境。传说千百年来华胥引的持有者都曾面临过这种艰难抉择，这个命题曾在某个朝代与"未婚先孕的少女能不能堕胎"一并成为当世两大备受社会关注的伦理问题，最后后者的解决办法是未婚先孕的少女都被浸了猪笼。

其实暴力之下，所有问题都不再是问题，因暴力本身已是最大的问题。总之，此时我正在踌躇，帮助我作出选择的是莺哥在梦中突然的一阵挣扎，那是被魇住了的表象。我给自己找了个理由，我要去往她的梦中，为的是将她带出来。

我握住莺哥的手，集中精力感受她的神思，好进入魇住她的梦境。虽是第一次用鲛珠来做这件事，倒并不觉得费力，大约因是死者，比以生者之躯修习华胥引的前辈们少了对人命的执着贪欲。

眼前凭空出现一条黑暗古道，梆子声声，三途河旁结梦梁，大约这就是通往莺哥梦境的结梦梁。我深吸一口气，正要一脚踏进去，手忽然被握住，耳畔响起低低的一声："阿拂。"我愣了愣，想松开握住我的那只手，却已来不及，声声梆子消失在暗夜尽头，转瞬已进入莺哥的梦境。

我们置身在一个完全不知名的地方，我抬头看仍握住我右手的慕言，道："你怎么跟来了？"

他微微挑眉，目光放在前方，是一处深巷，巷子两旁俱是黑墙青瓦的民宅，雀檐上积了一层薄薄的落雪，天上清月泠泠，四下静寂。他收回目光："听到你房中有响动，便过来看看，没想到……"他顿了顿，"这是哪里？你房中那位姑娘，是谁？"

我长话短说和慕言交代了事情经过，人已冻得瑟瑟发抖，这就是连目的地天气状况如何都没搞清楚就出公差的痛苦之处。慕言一直握着我的手没放开，良久，道："你的手怎么这么凉。"

我想他真是废话，死人的手怎么可能不凉，可还是不小心颤了一下，想要缩回来，他瞥了我一眼，我轻声道："可能因为是……传说中的冰肌玉骨……"

慕言："……"

前方巷子里传来嗒嗒马蹄声，伴随着车辘辘碾过石道的闷响。我向前走两步，再走两步，隐隐看到街面上瑟缩着一个佝偻的小乞丐。慕言拉住我，我回头和他解释："她看不到我们。"

想想又补充道："这梦境里的幻影都看不到我们。"一辆乌篷马车自巷子深处急驶而出，眼看就要从小乞丐身上碾过去。车夫急惶惶勒紧缰绳，拉车的黑马扬起前蹄狠狠嘶鸣。车中传出一个清冷嗓音："怎么了？"车夫忙着勒马后退："有个乞丐挡了路。"

车帘撩开，露出一副紫色的衣袖，车夫先行一步定住马将小乞丐拖到一旁。车中的清冷嗓音在帘子后面发话："将她带回府。"车夫愣道："主上这是……"帘子背后冷笑了一声："说不定，她就是巫祝口中那个上天赐给我的……世上最好的杀手呢。"

马蹄声消失在巷道尽头，眼前一切瞬间化为乌有，转而是一处宽敞厢房，烛火幢幢，桌案上的石鼎中燃出袅袅的香。床榻上躺了个小姑娘，推断应是片刻前晕在街面上的小乞丐，看来已收拾妥帖，只是瞧不见脸，而榻前则立了个紫衣的少年，轻裘玉冠，长身玉立。他微垂着头："你叫什么名字，家中还有些什么人？"

小姑娘挣扎着要爬起来，被旁边的侍女止住，只在重重锦被中露出巴掌大的一张脸，煞白煞白的，却并不畏惧："莺哥，奴叫莺哥，前年家乡遭了洪灾，爹娘双双去了，家里就剩奶奶和奴的妹妹。"

我走近去一些。这个小姑娘脸上果然有莺哥的影子，想不到那总是半真半假笑得柔软又刻意的紫衣女子，她小时候竟是这样。而看到她浓黑的眼睛，终于有一点不是在旁观的感觉，鲛珠引领着精神游丝在刹那间与她高度重合，令人高兴的是这样便能直接读懂她的情思，令人痛苦的是读懂了其实也没什么用。

因我想客观看到事情的全貌，但人的情思却是偏见的集合体。

"莺歌？"紫衣少年笑了笑，"那你妹妹岂不是叫燕舞。"

她一双浓黑的眼睛睁得大大地看向他，不明白他在说什么。他淡淡瞥了眼她苍白的面容，转身望向窗外朦胧的月影，漫不经心道："莺歌这名字太艳了些，今日正是腊月十三，天上月亮圆得正好，你就叫十三月吧。我将你捡回来，此后你便跟着我。"

顺着烛火的光线，我看清那张端正俊朗的脸庞，犹带着少年的青涩，衬着玉带紫衣，虽是在笑，表情却冷冽如同逝雪。那是……年少的平侯容浔。

我看着自己的手，半月前被我亲手杀死的那个十三月，原是李代桃僵吗？

而后厢房烛影也尽数散去，眼前情景不断变换，各种色彩如流失一般从眼前掠过，脑中产生各种想法，都不可知，唯一可知的是幸好我是个不容易晕车的人。

半晌，景色定下来，眼前铺开一片安静竹林。天上遥遥挂了颗启明星，林间燃了堆不算旺的篝火，一双软牛皮的靴子踩过发黄枯叶停驻在篝火旁，顺着靴子往上看，简直没有悬念，来人是容浔。

他环顾四周，目光上瞟时，清冷眉眼攒出一丝笑，却不动声色，假意低头查看地上的篝火。就在此时，上方突然传来林叶相拂的沙沙碎响，一道紫影蓦然从高空急速坠落。他身形往右侧微微一躲，一柄锐利短刀擦着发带牢牢钉入身后碗口粗的竹子，他却没半点移开的意思，眼睁睁看着从天而降的紫影越来越近。

而后一切发生得太迅猛，两人正面相交时的几个推搡似乎只在眨眼间便完成了，待我看清时，容浔已被紫衣的少女牢牢压制在地上。紫衣少女是比如今稍年轻一些的莺哥。

篝火噼啪，微弱火光映出朦胧月影，翩翩贵公子不动声色地躺在枯黄落叶上。四围翠竹妖娆，紫衣少女双膝跪地骑在他胸前，漆黑长发似绢丝泼墨，左手牢牢抵住他的衣襟，右手中的雪亮长刀已有半截深埋进泥土。

她两颊微红，动作却无半点迟疑，左手越发使力，就压得更狠，他在她身下闷哼了一声，她睁着一双浓黑的大眼睛定定地瞧着他："今日我的刀，可比昨日快了些？"

他以手枕头，含笑看着她："月娘，你做得很好，你可以做得更好。"

她脸上浮现出得意表情，抵住他的手略有松动。他眼中冷光一闪，以电光石火之势猛地制住她左手，一个巧力便颠倒局势将她反压在地。她全身受制，面上出现恼怒神色，他盯着她，眼中盈满笑意："同你说过多少次，要做个好杀手，从埋伏，到杀人，再到结束，哪个环节都不可掉以轻心。"

她紧紧咬住嘴唇，脸上是受辱的不甘心，双手还在不死心地挣扎。他抽出一只手抚上她嘴唇，笑出声来："咬这么紧做什么，也太沉不住气了些。"

她脸上红得厉害，却更狠地瞪住他。

身旁的慕言突然道："看这天色，要下雨了。"话刚落地，天边陡然出现一道闪电，紧接着是像从地底传来的轰隆雷声。原本还不服气妄自挣扎的莺哥突然绷直了身体，下一刻已紧紧贴入容浔怀中。他轻轻拍她的背脊，像安慰小孩子："还是害怕打雷？你这样，可没法当一个好杀手。"

她搂着他的脖子咬咬牙，表情决绝，说出来的话却远不是那么回事儿："我就再怕这一回。"

他撑起身子目不转睛看她的脸，手抚过她发顶："拿你没办法。"

竹林在拂晓的暗色里摇曳不休，眼看狂风就要裹着雨云向下肆虐，在砸落的雨滴碰到我衣袖的一刹那，眼前景致却再度变换。这是件神奇的事情，我竟看清一滴雨的坠落，并且还带着这滴雨瞬间转移到下一个场景。

这梦境真是毫无道理，我一边这样想，一边遗憾刚刚从天上砸下来的为何不是金铢银票之类。而神思回归之时，发现正被慕言牵着站在一个声色场所里，四周大把大把的全是花，还有花姑娘。

我不知道我为什么知道，大约是神思相通，像是谁在脑海里一笔一笔写出来，告诉我，这是莺哥十六岁的生辰。她从半月前就施计将自己卖进来，潜伏在这些美貌姑娘中间，将在今日杀掉命中注定要死在她手里的一个人，正式成为容家的暗杀者，完成一个杀手的成人式。

我记得我十六岁成人式那天是绑住君玮双手、双脚，逼他听我弹了一天的琴，我很开心，只是对君玮有点残忍，而莺哥的成人式真是不管对谁都残忍。

慕言从后面收起扇子敲敲我肩膀："你左顾右盼的是在看谁？"

我拨开他扇子："找容浔。"

他做出感兴趣的模样："哦？你晓得他一定来？"

我不确定道："这倒也是。"想了想问他，"如果是你，你会不会来？"

他收起扇子："如果我手下的那个杀手是你，我就来。"

我一愣，呆呆地看他。

他瞟我一眼，慢悠悠道："你这么笨的一个人，我若不来，你把要杀的目标搞错怎么办？"

我气愤道："我才不会。有……有时候我是会迷糊一点，可这种关键时刻，我就会很厉害的。"

他轻笑一声："关键时刻？上次夜里遇狼，若不是我及时赶到，你如何了？"

我说："……好了，我们当今天晚上这场对话未曾发生过。"

他不依不饶："上上次沈夫人宋凝的华胥之境，你从山上掉下去，若我没跟着，你又如何了？"

我从他身边挪开一点，道："过去之事之所以美好就在于它已成为过去，往事我们就让它如烟飘散。来，我们还是来研究一下更为重要的现实之事吧。"

他有一搭没一搭地摇扇子，眼中含笑，看着我不说话。

我说："你看，十三月这桩事，郑王宫里的十三月为情而死，口口声声对不起自己的姐姐。活着的莺哥像是原本的十三月，她有个妹妹，她却告诉我她忘了妹妹的名字。容浔看着像是对郑王宫里住着的十三月很有情，可他明明晓得真正的十三月到底是谁，况且，他也不像是对莺哥无情。"

我原本只是想转移话题，可不小心被自己提出的问题搞得很感兴趣，想了一会儿却没想出结果，只是很感叹。

我把我的感叹告诉慕言："这个容浔让人捉摸不透啊，多接触接触说不定能有所领悟。呃，不过这也难说，有句话叫做当局者迷旁观者清，劝诫世人面对难以解决的问题就尽量不要涉案保持清醒，但也有一句话叫做没有调查就没有发言权。哎，我很是迷茫。"

慕言摊了摊手："我也很是迷茫。你偏题了。我听不懂。"

"……"

花楼中，舞娘们献艺的高台上长出参天大树，叶间结了融融春意，树下清歌未止蝶舞不休，仿似天下大兴，时时都是盛世太平。

只是这一切都是错觉。可叹皇帝微服私访老是喜欢造访青楼，自以为此地三教九流更能听到民声，但归根结底只是让他的调情水平不断提升罢了。

我拉着慕言拐进高台后红纱掩映的阁楼，没有任何阻碍地晃过一扇启开的结实木门，正好看到一身清凉打扮的莺哥从对面窗户轻盈跃入屋中。守在桌边款款等待恩客的女子浑然不觉，下一刻已被手刀利落敲昏，拖到床下严严实实藏好。时辰还未到，十六岁的莺哥执起镜台上一柄绘出大簇秋牡丹的绢丝团扇，关好门窗，独自饮了盏酒。

我和莺哥神思相通，自然知道她在此处。慕言表示理解，只是对这梦境的神奇有点叹服。

未几，屋外脚步声踢踏传来，木门吱呀一声被推开，进来的男人身着黑缎长袍，长了张再普通不过的脸，似乎喝了许多酒，走路蹒跚不稳。

懒懒靠在床沿的莺哥将团扇移开，浓黑的眸子随着眼角挑动微微上晲，仅这一个动作就流露千般风情，一副熟谙风月的模样，仿佛天生就在花楼里打滚。

男子眯起眼睛来，保养得宜的一双手意图暧昧地抚上她细白颈项："听说你是楼国人？楼国的女子天生肤若凝脂，今日便让我看看……"他手一拂扯下她罩在裹肚外的轻纱被子，动作粗鲁地俯身咬住她雪白肩头："看看你是不是也肤若凝脂。"男子的吻沿着肩头颈项快要覆上她脸庞，却蓦然静止不动。

我赞叹地紧盯住插进男子背心的短刀，问慕言："你看清楚刚才莺哥拔刀了吗？好快的动作。"

那男子就这样死在她身上，她却并未立刻将凶器拔出，眼神茫然看着帐顶，全无杀人时的利落。良久，才突然想起什么似的慌忙收拾现场，收拾完回首打量一番，仍沿原路跳窗逃出。

慕言不容分说拉着我一路跟上，发现她并未逃离此处，只是一个翻身跃入楼下厢房罢了。

慕言在我耳边轻笑一声："你相不相信，容浔就在里头？"

我想了想，点头道："是了，谁敢怀疑陪着容公子的姑娘是杀人凶手啊，就算有人怀疑，容浔也一定帮她作证，她一直同他花前月下把

酒论诗呢，哪里有时间出去行凶。"

慕言揽着我的腰一同跃入莺哥刚进的厢房，口中道："这不算什么高明的计策，却仗着容浔的身份而万无一失。莺哥姑娘第一次杀人，算是做得不错的了。"

不出慕言所料，容浔果然在房中。紫檀木镶云石的圆桌上简单摆了两盘糕点，他手中一只精巧的银杯，杯中却无半滴酒。烛火将他的影子拉得颀长，投印在身后绘满月影秋荷的六扇屏风上。窗外乍起狂风，吹得烛火恹恹欲灭，风过后是慑耳雷声，轰隆似天边有神灵敲起大锣。

我觉得有点冷，朝慕言靠了靠。他看我一眼，将我拽得再靠近他一些。

一阵急似一阵的电闪雷鸣中，容浔缓缓放下手中银杯，端起烛台绕过屏风走到床前。昏黄烛火映出榻上蜷得小小的莺哥。她身子在瑟瑟发抖，眼睛却睁得大大的，眉心皱得厉害，嘴唇上咬出几个深深的红印子。

他将烛台放在一边，伸出修长手指抹她的眼角，似要抹去并不存在的泪水，她怔怔看着他："我杀掉他了。"她举起雪白的右臂，搭在他俯下的左肩上，"就是用的这只手。"

一个炸雷蓦然落下来，雨点重重捶打廊檐屋顶。她蜷起来的身子颤了颤，他微微蹙了眉，握住她双手面对面躺在她身边，瓷枕不够宽敞，他几乎是贴着她，将她蜷缩的身体打开，抱进怀里。两人皆是一身紫衣，就像两只紫蝶紧紧拥抱在一起。他的唇贴住她绢丝般的黑发："你做得很好。"

她却摇摇头，抬起眼睛一瞬不瞬地望着他说："我用了短刀，一刀穿心，死的那一刻他都不相信，狠狠瞪着我。他的血几乎是喷出来，落在我胸口，我一辈子都忘不了他的表情，人命这样轻贱。我觉得害怕，我害怕当个杀手，我害怕杀人。"

她说出这些软弱的话，脸上却没有任何表情，眼睛一直睁得大大的。

蜡炬燃成一捧泪，滑下烛台，只剩最后一截烛芯子还在垂死挣扎，发出极微弱的淡光。他伸手抚弄她鬓发，半响，低笑道："那年我捡到你，你还那么小，我问你想要跟着我吗，你睁着黑白分明的大眼睛看着我用力点头，模样真是可爱。我就想，你会是我最完美的作品。"

他吻她的额头，将她更紧地揽入怀中，贴着她的耳畔，"月娘，为了我，成为容家最好的杀手。"

窗外冷雨潇潇，落在二月翠竹上，一点一滴敲进我心中。

此后，这梦境的变幻杂乱且迅速。

杀手的世界无半点温情，有的只是幢幢刀影、斑斑血痕，和生死一瞬间人命的死搏。我看到莺哥在这个世界越走越远，携着她的短刀，像一朵罂粟花渐渐盛开，花瓣是冷冽的刀影，而她浓丽的眉眼在绽放的刀影中一寸一寸冷起来。这些不断变换的景致像崩坏的镜面，铺在我眼前，不知从何处传来各种各样的人声："时时跟在廷尉大人身旁那个紫衣姑娘，是个什么来历？啧，那样漂亮的一张脸。""嗬，那样漂亮的一张脸，却听说杀人不眨眼的，那是廷尉府一等一的高手，廷尉大人贴身的护卫。"

那些崩坏的镜面随着远去的人声渐渐消失，取而代之的是高高的戏台，打扮得妖娆的伶人将整个身体都弯成兰花的形状，眼角一点一点上挑，做出风情万种的模样，软着嗓子唱戏本里思春的唱词，神情里暗含的勾引却无一丝不是向着高台上懒懒靠着横栏听戏的容浔。两人的距离说远不远，说近就很近，目光交会时，容浔意味不明地笑了笑。

就在那一刹那，高台上奉茶的绿衣女子突然自袖中抽出一把明晃晃的匕首。与此同时，一旁莺哥的短刀已飞快欺上绿衣女子的面门，自眉心劈头的一刀，快得像飞逝的流光。面容姣好的女子整张脸被劈成血糊糊的两半，绽出的血溅上莺哥雪白的脸颊，她却连眼也未眨一眨。戏台子里已是一片尖叫，她恍若未闻，将短刀收回来在紫色的衣袖上擦了擦，抬头望着若有所思的容浔淡淡笑道："没事吧？"

他瞥眼看了看倒在地上圆睁着双眼的可怖女子，皱了皱眉："这一刀，太狠辣了些。"

她认真地蹲下去仔细研究那女子的刀口："这样果真毫无美感，还有点吓人，往后我直接割断他们的脖子好啦。"

他将手递给她，拉她起来，缓缓道："我记得你第一次杀人之后，怕得躲在我怀里，躲了一宿。"

她抿起唇角："我终归要长大的。"她靠着横栏认真看他，"我会成为容家最好的杀手。"话毕脸上腾起红色的霞晕，衬着雪白容颜，丽得惊人。

他却没有看她，转头望向窗外，那里有高木春风，陌上花繁，一行白鹭啾鸣着飞上渺远蓝天。

莺哥无法成为最好的杀手，就好比君玮无法成为最好的小说家，因为他俩都心存杂念。最好的小说家应该一心一意只写小说，但君玮在写小说之余还要当一当剑客聊以安慰他老爹。

同理，最好的杀手应该一心一意只杀人，但莺哥在杀人之余还要分一分神来和容浔谈恋爱。杀手绝不能有情爱，假如一个杀手有了情人，就容易遭遇以下危险，比如"你，你别过来，你过来我就把他杀掉""好好，我不过来，你别杀他""你把武器放下，抱头蹲到那边去""好，我放下，啊，你怎么，你怎么能在我放下武器的时候使用飞刀……"然后，你的杀手生涯就玩儿完了。

为了容浔，莺哥将自己的心肠变得这么硬，但因是为了容浔才杀人，她的心肠永远到不了一个好杀手应该有的那么硬。

莺哥十九岁那年初夏，年迈的奶奶因病过世，她却因在外执行任务，连亲眼见她最后一面都不可得。回府时，容浔已将她孤苦无依的妹妹接进门。

那是个凉夏，廷尉府的大院里开满紫阳花。她妹妹穿着雪白的孝衣，和她一模一样的一张脸，泪盈盈地站在白色的花丛中，怀中抱着一只巨大的净瓷骨灰瓶。

她匆匆赶回来，仍是翩翩的紫衣，遍布未洗的血痕，风一过，可想胭脂味犹带杀伐的血腥。妹妹抿着唇角，神情酷似她十五岁软弱又要强的模样，一头扎进她怀中，哽咽道："奶奶想看看你，说一定要见你最后一面才下葬。"她伸手握住那净瓷的白瓶，手心微微颤抖，脸上却没有任何表情，半晌，道："让奶奶一路走好。"

容浔不疾不徐缓步过来，看着抱住妹妹的莺哥，轻声道："你累了，先回房休息。"

她怔了怔，将妹妹放开，指尖颤抖地仍贴住瓶身，他仔细看她："听他们说你三天没合眼了，你奶奶的后事我会处理。"

话毕漫不经心回头看了她妹妹一眼，又转头同她道，"一直以为她叫燕舞，没想到，是叫锦雀。"脸上犹带着泪痕的锦雀抬起头来狠狠瞪了他一眼，脚下紫阳花丛间飞过两只白色的蝴蝶，他捕捉到她瞪他的视线，愣了一愣。

花丛中两只嬉戏的白蝶瞬间燃成一簇青烟，我心中一空，蓦然产生不好的预感，也许这幕场景正是魔住莺哥的心结，而于我而言，最危险的时刻终于到来。

在我织出的华胥之境里，快乐止步的地方就是悲伤，希望到无甚可望就是绝望，一切仍同现实一般逻辑分明。但在活人的梦境中，大家却惯用极端方式来抵抗现实的无能为力。

就好比我看上慕言，可我又得不到他，于是我想杀掉他再分他一半鲛珠，好让我们永生永世在一起。可这是不计后果的疯狂想法，只要我还有理智，就绝不会这么做。

但我天天这么想，这件事必然就将在梦里得到体现，然后在梦里我就成了一个杀人犯，这就是所谓抵抗现实的极端方式；或者我更狠一点，觉得这命运真是坎坷凄惨啊，天地山河都应该给我们陪葬，那在我的梦中，必然也会真的出现山崩地裂海枯石摧的神奇景象，就是所谓的抵抗现实的更加极端的方式……这也是君师父教导我不要随便入他人之梦的原因。假使我入到那个人梦中，他梦里正上演山无棱天地合的八级大地震，突然有块石头从山上砸下来，一不小心砸扁我，顺便砸碎胸中的鲛珠，那我就死定了。

活人的梦于他们自己而言做做就罢了，于我而言却十分要命。假使我在他们的梦中死去，那就是真正的玩儿完了。

在梦中此时想要毁灭一切的莺哥，我不知道她的想望和绝望是什么，我只知道她也选择了山崩地裂摧毁一切的方式来结束这个梦境，而我要在她爆发之前快点将她领出去。

可显然已经来不及，就在我松开慕言的手拼命跑向莺哥的一刹那，天地间蓦然空无一物，巨大的空旷转瞬淹没白色的紫阳花簇，墨一般的浓云自天边滚滚而来，一寸一寸染过灰白雾霭。这就是梦，前一刻还是青天白日里滚滚红尘，后一刻便袭来伸手不见五指的黑。

莺哥的影子在这墨般的暗色里消失不见，我顿觉茫然，不知该跑向何方，脚步停下来，身子却被猛地往后一扯，一副蓝色衣袖揽住我脖子。慕言的喘息响在耳边，沉沉地带点怒意："跑这么快，不知道很危险吗？"

我握住他袖子，拼命伸手指向前方："哎，好神奇，你看，那是什么？"

他顿了顿，揽住我往沉沉雾色中蓦然晕出的白光走去，一步一步。这旷野般空荡荡的暗色里，只听得见他和我的脚步声，似踩在水上，发出冷冷轻响。

周围墨黑的雾霭一寸一寸散开，天上漾出一轮银白圆月。冷月白光中，一棵巨大樱树迎风招摇，红色的樱花散落半空，似赤雪纷飞。

一身紫衣的莺哥执了壶酒懒懒靠坐在树下，微仰头，望住站在她身前面容冷峻的白衣男子。慕言已算是十分俊美，男子的俊美不下于慕言，周身披了层冷月的银辉，显得面色尤为冷淡。

凉风夹着三月樱花与莺哥的声音一同飘过来："陛下的刀若是快得过我，别说是这恼人的宫廷礼仪，就算同床共枕之事，我也无一件不听陛下的……"她话还没说完，一柄狭长刀影已在半空画过一个圆弧利落回鞘，男子连站姿也无甚改变，她头上松松绾起的发带却应声断开，泼墨般的青丝披散肩头，半空中被长刀削成两半的樱花慢悠悠飘落在她胸口。

她怔怔看他好一会儿，扑哧笑出声来："你腰间那把长刀，原来不是带着做做样子的？"

他墨色瞳仁映出她万般风情，却沉着无半点涟漪。他走近两步，微微俯身将手递给她："夫人方才与孤打的赌，孤赢了。"

她伸出手来，做出要去握他手的样子，却猛地攀住他肩膀，伸手一拂便取下他的发簪发带。她淡淡一笑，拍拍手："这才算公平。"

樱花翻飞中，她提着酒壶摇摇晃晃走在前方，脸上的笑一半真心一半假意。他走在她身后，面色冷淡，看着她似倒非倒的模样，并没有伸手搀扶。浓云散开，有歌声悠悠响在云层后：往事一声叹，梦里秋芳寻不见，蓦然回首已千年……

慕言问我："还要再跟上去？"

我摇摇头。这梦境已无危险，自那白衣男子出现之后，一切似乎都在往好的方面发展。我问慕言："你晓得穿白衣裳的那个是谁？"

他顿了顿，道："郑国前一任国君，景侯容垣，平侯容浔同岁的叔叔。"

还没有将莺哥带出去，她的这个梦就已平和地自行结束，被强制从别人的梦境里丢出来着实难受，这一点从慕言紧皱双眉的模样就可以推测出。我其实没什么感觉，但为了不使他怀疑也只得做出难受的模样。

将慕言送回他房中，莺哥才彻底醒过来，模糊看着我："你解绳子的手法不错。"我想的确不错，少时我常和君玮玩这样的游戏，就算五花大绑也能轻易解开，遑论只绑住手脚。

我将灯台端得近一些，问她："你梦到了什么？"

她蹙眉做沉思模样，笑了一下："我夫君。"良久，又道，"他们说他死了，可我不信。"

月白风清，她从床上坐起来，将头靠在屈起的右腿上，又是那样半真半假的笑意："还梦到了从前的许多事，梦着梦着，突然就想起他们说我夫君死了。我就想啊，如果在这个梦里，我的夫君确然已离开我，那我还要这个梦做什么呢？不如毁掉算了。"

她抬头看我，"你说是不是？"

我点头道："是。"我心里的确这样想，假如慕言有一天离我而去，又假如我有毁灭这个世界的力量，那我就一定将它毁得干干净净，但好在终归不会是他先离开我，会是我先离开他。

我第一次这样庆幸自己是个死人。

第 四 章

第二日刮起南风，由赵国吹往郑国，正是预定行进路线，若是选择坐船，速度就能快一倍。我和慕言双双觉得与其按照既定路线探寻十三月之事，不如不动声色跟着早早离开的莺哥，说不定还能快点揭开谜底。

但莺哥的路线却是水路逆风由郑国前往赵国，真是乘风破浪会有时，此恨绵绵无绝期。而且更加困难的是，此时前往赵国只有一艘船，这就决定了我们的跟踪势必要被发现。

幸好慕言身手不错，一路才不至跟丢。抬眼望去，隔着半道水湾的莺哥正懒懒靠在船桅，头上戴了顶纱帽，帽檐围了层层叠叠的浅紫薄纱，直垂到膝弯，裹住曼妙身姿浓丽容颜，只露出一圈银紫裙边和一段垂至脚踝的青丝黑发。

我有点惊讶，昨夜灯台暗淡，竟没注意到她头发留得这样长。而此刻她穿成这副雍容模样，如同家教严厉的贵族小姐郑重出游，大约是为了躲避口中仇敌。倘若不是一路跟着，真不能确定眼前这个就是昨夜拿短刀抵住我脖子的紫衣杀手。

临上船时，慕言留我从旁看着，说是临时有什么要事。船快开了才提着只鸟笼子回来。鸟笼用乌木制成，单柱上以阳纹刻满锦绣繁花，做工精致，中间困了只黑鸟，乍看有点像乌鸦，只是双喙紫红，和乌鸦不太相同。

踏上甲板，为了不被莺哥注意，显得我们搭船刻意，两人特地找了个荒凉角落。我备感无聊，蹲在地上研究笼子里的黑鸟，研究半天，问慕言："你刚才就是去买这个了？你买这个做什么？"

他垂头看我，漫不经心地："买给你玩儿的，高兴吗？"

我心里咯噔一下，握紧袖子里的玉雕小老虎，想起上次他用这个老虎换我的扳指，踌躇良久，怯怯问他："你是不是想用这个破鸟换我的小老虎？"

笼子里的破鸟睁大眼睛，嘎地叫一声。慕言愣了愣，目光对上我视线，扑哧笑出声。

我瞪他一眼，蹲在地上别过头去："这破鸟一点不值钱。"

话刚落地，破鸟头上的绒羽哗啦竖起来，再度冲我嘎地叫一声。我嫌弃地将笼子推开一点，只是拽紧手里的小老虎，不知道他什么态度。

其实这只老虎着实是我用不法手段谋得，就算他要强行取回，我也没有办法。而这样贵重的东西，他确实有理由随时取回。但我还是睁大眼睛："我绝对不会和你换的，我一点都不喜欢这只破鸟。"

破鸟激动地从笼子底跳起来，扑棱着翅膀嘎嘎叫个不停，船上众人纷纷掉头观看。慕言将我拉起来，哭笑不得："刚觉得你有点姑娘模样了，不到半日小孩子脾气又发作。"

我想这不是小孩子脾气，这是一种执着，那些长门僧将之称为贪欲，认为是不好的东西。但我的贪欲这样渺小，除了伤害了这只黑鸟的感情以外，真不知道还伤害了什么，所以绝不是什么不好的东西。

我同慕言终归会分开，对这玉雕小老虎的感情就是对慕言的感情，从文学角度来讲可称之为移情，也许这一生都没有人会理解，我自己知道就好。

我看着慕言。我不知道他喜欢怎样的姑娘，我一直只想给他看最好的模样，却时时不能如愿，让他觉得任性，觉得我只是个小孩子。明明是个没有心的死人，还是会觉得悲伤，我不知道该怎么办。

远方是碧水蓝天，他看着我，我吸吸鼻子做出高兴的模样，打算转换话题，却猛地被他一把拉入怀中。脸颊紧紧贴住他胸膛，他搂得太紧，导致连转个头都成为颇有技术难度的事情。

我心中倏地一颤，第一感想是我的心意他也许知道，还来不及有第二感想，他的声音已从头顶传来："别乱动。"接着是极低的一声笑，"阿拂，你躲的人居然也搭这趟船。"

我趴在他的胸口一边沮丧地觉得自己真是想太多，一边在脑海里反应半天最近是在躲谁，情不自禁问出声："你说谁？"

他慢悠悠道："平侯容浔。"

我赶紧将头更埋进他胸膛一些。

木质甲板传来平稳震动，必然是四人以上步履整齐才能达到此种效果，脚步声自身后响过。良久，慕言将我拉开，容浔一行已入船上楼阁。

我下意识看了眼不远处靠在船桅边的莺哥，以为此次故人相逢，能擦出什么不一样的火花，但她动作依然懒散，几乎没什么改变。

难得的是慕言的目光竟也是投向莺哥，却只是短暂一瞥，末了回头淡淡道："别看了，容浔走的另一边，和莺哥姑娘并未碰面。"顿了顿又道，"上船前听说了桩挺有意思的宫廷秘闻，想不想听？"

我表示很感兴趣。

河畔风凉，慕言同我说起的这桩有意思的宫廷秘闻，同所有所谓秘闻一样其实并不怎么秘，也并不怎么有意思，但胜在年代久远、情节复杂，我还是听得很开心。

说这桩秘闻一直要追溯到两代以前的郑侯，就是景侯容垣他爹，平侯容浔他爷爷。

按照大晁的规矩，郑国最初是立了长子，也就是容浔他爹做的世子。但因老郑侯着实是个福厚之人，立下世子三十年都没有驾鹤西去的苗头，让容浔他爹很是心急。谋划许久，终于寻到一个月黑风高夜叛乱逼宫，结果自然是被诛杀，留下一大家子被贬谪到西北蛮荒之地，包括十四岁文武全才闻名王都的独子容浔。

老郑侯一生风流，膝下子嗣良多，可子嗣里大多是女儿，儿子只得四个，中途还夭折了两个，只留大儿子和小儿子。所幸大儿子虽然伏诛了，小儿子容垣倒看起来比大儿子更有治国经世之能。次年，老郑侯便报了王都，将小儿子容垣立为世子，待他百年之后，世袭陈侯位。

这一年，十五岁的容垣除了一向领有的大郑第一美男子之衔外，已是郑国刀术第一人。大儿子逼宫之事对老郑侯刺激颇深，成为一块大大的心病，不过两年便薨逝了。十七岁的容垣即位，是为郑景侯。

景侯即位后，因欣赏容浔的才干，值国家举贤授能之际，将他们一大家子重新迁回王都，一面压着，也一面用着。容浔着实没有辜负叔叔的期望，廷尉之职担得很趁手，叔侄关系十分和睦，六年前，容浔还将府上一位貌美女眷送给叔叔做了如夫人。

民间传说，一向冷情的容垣对侄儿呈进宫的女子隆恩盛宠，那女子在霜华菊赏中胡诌了句诗，"宫垣深深月溶溶"，容垣便为其将所住宫室改为了溶月宫。

而郑史有记载的是，溶月宫月夫人入后宫不过两年，便被擢升为正夫人，封号紫月，母仪郑国。看似又是王室一段风流佳话，可好景不长，不过一年，得景侯专宠的紫月夫人便因病过世。

紫月夫人过世后，景侯哀不能胜，年底，即抱恙禅位。因膝下无子，将世袭的爵位传给了侄子容浔。次年，病逝在休养的行宫中，年仅二十七岁。

景侯病逝的那一晚，东山行宫燃起漫天大火，不只将行宫烧得干干净净，半山红樱亦毁于一旦。更离奇的是，此后东山种下的樱树，再也开不了红樱。

我想起昨夜梦境中红着脸丽容惊人的莺哥，她对容浔说："我会成为容家最好的杀手。"

想起红樱翩飞中她踉跄的背影，我问慕言："容浔送给容垣的那位女子，后来被封为紫月夫人的，就是莺哥吗？"

他摇着扇子点了点头："显然。"

我觉得有点迷茫："那其后紫月夫人之死又是怎么回事？"

慕言顿了顿："诏告天下的说法是景侯因病主动禅位，但从前也有传闻，说景侯禅位是因平侯逼宫，逼宫的因由还是为的一个女人。"他唇角一抿，笑了笑。我真喜欢他这样的小动作。

"这女人便是紫月夫人。这是件趣闻了，也不知是真是假，说那日平侯将随身佩剑架在景侯的脖子上，问了景侯一句话：'我将她好好放在你手中，你为什么将她打碎了。'从前一直以为是个器物，今日方知是位美人。"

我唏嘘道："可终归是他将她送人的，怪得了谁呢？我真是不能理解，倘若要我将自己的心上人送人，我是打死都不会送的。"

慕言瞟了我一眼："哦？不会把谁送出去？"

"把你送出去啊"六个字生生卡在喉咙口，我嗫嚅了一会儿，在他意味不明的注视下抬不起头来，半晌，道："小黄……"

扇子收起拍了下我的头："又在胡说八道。"

远处有山巅连绵起伏，云雾缠绕，山中林木隐约似琼花玉树。慕言淡淡道："人心便是欲望，欲望很多，能实现的却很少，所以要分出哪些是最想要的，哪些是比较想要的，哪些是可有可无的……"

我想了一会儿："你的意思是，只需得到最想要的就可以了吗？"

他笑了一声："不，最想要的和比较想要的都要得到，因为指不定有一天，比较想要的就变成最想要的了，而最想要的已变得不是那么重要了。就如平侯，当初他送走莺哥姑娘，也许只是觉得莺哥姑娘并没那么重要。"

我看着他："你是说假使你是容浔，便不会送走莺哥，但莺哥依然不是你最重要的吧？"

他摇着扇子似笑非笑看着我："谁说最重要的东西只能有一个？"

我似懂非懂，但他已不再说什么。

再看向船桅，莺哥已不知去向，驶入江心，河风渐渐大起来。我找了个无人的隔间，挑出随身携带的一副人皮面具戴好。慕言打量半天："这就是你原本的模样？"我想若是没有额头上那道疤痕，我原本的模样要比这个好看多了，但多想无益，这些美好过去还是全部忘记，免得徒增伤感。

我摇了摇头："不是，我长得不好看，不想让人家看到。"

其实我只是不想让他看到。

踏上二楼，看到一身紫袍的容浔正靠着雕花围栏自斟自饮。这是郑国的国君，此时却出现在赵郑边境的一艘民船上，着实令人费解。

锦雀、莺哥、容浔，这些人相继出现在我眼前，像一出安排好的折子戏，又像一穗未盛开便凋零的秋花，有什么要呼之欲出，令人欲罢不能，却理不出任何头绪。

眼前容浔的面容仍同莺哥梦境中一般俊朗端严，修长手指执起龙泉青瓷杯的动作，雅致如一篇辞赋华美的长短句。

还没找好位置坐下，猛然听到楼下传来打斗声。抬眼望去，甲板外江水掀起了丈高的浊浪，船客惊恐四散，水浪里蓦然跃出数名黑衣蒙面的暗杀者。黑衣的刺客来势汹汹，冷冷剑光直逼甲板上一身紫衣的高挑女子。

我见过莺哥杀人，不止一次，却是第一次看她以长刀杀人。狭长刀影在空中利落收放，站姿都无甚改变，却皆是一刀毙命，那是樱花树下容垣曾使过的招式。

刀柄镶嵌的蓝色玉石在水浪绽出的白花中发出莹润绿光，衬着黑衣人脖颈间喷出的鲜血，显出妖异之美。而莺哥一身紫衣从容立在船头，似飘在船舷上一条翩然轻纱，手中长刀刀尖点地，杀了六个人，锋利刀刃上却只一道淡淡血痕。可看出是把好刀。

遍地血腥，她全身上下未染一滴血渍。这样干净利落的杀人手法。

打到这个地步，双方都在观望，可怜楼下瑟瑟发抖的船客。风中送来几丝凉雨，天地都静寂。无边无际的悄然里，突然响起莺哥一声冷笑："外子教导在下杀人也是门艺术，要追求利落之美。今次你们主上派这许多人来杀区区一个弱女子，恕在下也不与各位切磋什么杀人之美了。"

啪的一声脆响，我回头一望，看到容浔仍保持着握住酒杯的姿势，手中却空无一物，木地板上一片青瓷碎片。他的目光紧随船舷上持刀与数名黑衣人对峙的莺哥，冷淡面容上神色震惊。

莺哥已凌空跃起，凌厉刀影划破飞溅的水花，身姿翩然如同春山

里一只破茧的紫蝶。我靠近慕言，担忧道："她身上有伤。"这担忧没持续多久，在容浔和身边几个便衣侍卫跃下阁楼加入战局时解决。我注意看莺哥，即便眼见着容浔加入战局，她砍向黑衣人的刀锋也未停顿半分。她是个合格的杀手。

当最后一个黑衣人于水花四溅中毙命于莺哥刀下，容浔手中的长剑却反手一扬，挑向她的纱帽，隔着半臂距离，本不可能失手，她却轻巧一个旋身，立在船沿之上。纱帽后看不清面目，但想象应是一瞬不瞬正打量眼前的男人。江风浩浩，将她周身轻纱吹得飘起来，宛如日暮之时天边扯出一幅紫色烟霞。

她手中长刀就搁在他颈边，他走近一步，刀锋沿着脖颈擦出一道绯色血痕。岚岚雾雨中，翩翩贵公子微微皱眉，叹息似的唤她："是你么，月娘。"她手中长刀倏地收回，没有回应，转身扑通一声便跳进浑浊江水。他伸出手想去握住她，却只握到半条轻纱。又是扑通一声，一旁的侍卫突然反应过来："快救爷，爷不会水！"

我在一旁呆了半晌，只能用三个字来表达此刻想法："真精彩。"完了一想不对，"我们是把莺哥跟丢了吗？"

慕言正坐下来执起茶壶斟水，一本正经道："莺哥姑娘虽是顶级的杀手，但照理以我的追踪术追踪她，应该不成问题。问题是多了一个你，将追踪术平均分配下来，实力就大大降低……"

我放下杯子转身下楼："青山不改绿水长流，今日一别后会无期。"被他一把拉了回来，"我本也没打算一路跟着她，这样的杀手，只要让她有一点察觉，就很容易将我们甩掉，如此岂不是前功尽弃，所以才去买了这只鸂鸦。你可听说过以西木花制成的药粉为媒介，利用鸂鸦追踪的追踪术？将那药粉施到被追踪的人身上，即使她远在天涯海角，与被施药粉相配的鸂鸦也能追踪到。"

我摇摇头："没听说过这种追踪术。"

他点点头："哦，那是自然，那是我们家祖传下来不为外人所知的追踪术。"

我："……"

船驶向目的地，也没再见到莺哥和容浔一行。

目的地是赵国边境的隋远城，我们在城中住下，等待莺哥前来。听慕言说，倘若莺哥入城，鸂鹉必然有所反应。但遇到母鸂鹉时，这只关在笼子里的公鸂鹉也表现出了反应，且反应巨大，真是让人没有想法。

我觉得既然要长久与我们同行，必须给这只鸂鹉起个名字，想了半天，问慕言："你觉得给它起个名字叫小黑怎么样？"

他的反应是："你敢。"

才想起从前我也给他起了个名字，叫做小蓝。

住下不久，竟收到君玮的飞鸽传书。慕言对我在逃亡途中还能收到飞鸽传书表示惊奇，但这只飞鸽的运作机能其实和他的鸂鹉差不多，如此，也就释然。摊开传书一看，字迹龙飞凤舞，依稀可辨是这样开头："阿拂吾妹，一别数日，兄思汝不能自抑，汝思兄否？

"午夜梦回，常忆及少时，兄至王都探汝，左牵黄，右擎苍，相顾无言，唯有泪千行。悲乎？悲哉！

"日前午时小休，兄思妹成痴，才下眉头，却上心头，山川载不动，许多愁，不察盘缠为强人所掳……

"兄思虑良久，此事因妹而起，便当因妹而终……"

慕言问道："写了什么？"我总结了一下："他睡午觉的时候不小心被小偷把盘缠偷了，然后小黄不肯配合卖艺。他就把小黄典当给当地动物园了，让我用这个飞鸽绑张银票什么的给他。"

慕言伸手拿银票，我止住他："不用。"拿出纸笔给君玮回信："十日之内，若不将小黄赎出，吾定将汝卖去勾栏，望汝好自为之。"信纸晾干后卷入飞鸽的竹筒，呼啦将其放飞，此事圆满解决。

在隋远城安顿下来，一住就是五日。第五日傍晚，笼中鹥鸦兴奋异常，兴许是附近又出现母鹥鸦，兴许是莺哥终于入城，我着实不能辨别。

慕言淡淡扫了眼四围暮色，将笼子打开，鹥鸦立刻摊开翅膀冲了出去，而我们在后方紧紧跟随。我心中有隐隐的担心，忍不住问出口："你说它这么激动不会是去会情妹妹吧？"

慕言头也没回："怎么可能。"

我喘气跟上他："万一呢。"

他淡淡："那就宰了它给你炖汤喝。"

鹥鸦在半空颤抖地嘎了一声。

半个时辰后，果然在护城河畔发现莺哥，昏倒在水草间，全身湿透，也不知这五日究竟发生了什么。

我惦记她肩上的伤，解开黏糊糊的绷带，看到伤处形迹可怖，已被污浊河水泡得发白。

这一夜是在城北的医馆度过的。

医馆的老大夫看症后取出馆中最好的药材，和着续命人参熬成药汤，以长勺一点一点哺入莺哥口中。可大半碗药汤灌下，她依然未能醒来，且高烧不退，不断说着听不清的胡话，似在昏睡中陷入某种凶恶梦魇。

老大夫的意思是，倘若黎明前这姑娘仍醒不过来，就请出后门往右拐，隔壁有家棺材铺，不仅卖棺材，还提供丧事一条龙服务。

这种人性化布局固然温暖人心，但莺哥绝不能死在此处。她死了我们首先要买一具棺材，然后要勘察墓地，还要请人抬孝掘墓下葬封土……处处都要花钱，真是后患无穷。为今之计，只有故技重施以结梦梁再入莺哥梦境，黎明之前，将她成功带出来。

我心里觉得爱一个人必须珍惜他，就是说不能让慕言冒任何险，但还是情不自禁将他带进了危险重重的梦境，这让我觉得害怕。我知道自己潜意识里一直想将他弄死，只是没想到这样快理智就不敌潜意识。

或者说，人的理智从来都不敌潜意识，敌过潜意识的全去当了长门僧。

梆子声声，踏过结梦梁远远观望，不同于上一次的支离破碎，这一次，莺哥的梦境很连贯也很清晰。

因必须找到症结所在，解开她心结才能将她顺利带出来，我们不得不花费一段时间看完整个故事。心中诸多疑惑一一得到解答，但始终无法搞清魇住莺哥的到底是什么，这故事的每个结点看起来都有魇住她的可能。这就是一个杀手的命运，这样坏的命运，告诉我们杀手这个职业的确不能寄托终身。

故事开始于郑景侯即位的第七年。

景侯七年，飞花点翠，春深。

二十岁的莺哥已是廷尉府最好的杀手，从十六岁杀掉第一个人开始，四年来，以手中长短刀所造杀孽不计其数。

女子最好的年华都在鲜血里浸过，戾气晕得眉目日渐浓丽，而长年与兵刃为伍，所谓温软心肠在生死门前磨得半点不剩，一颦一笑都透出刀锋似的冷意。

容府的下人集体对她心存畏惧，等闲不敢和她说话，以至经常处在方圆百步渺无人烟、凡事只能自给自足的境地。不过这也不是全无好处，至少看小说的时候没有人敢前来打扰。

与此形成鲜明对比的是，明明一模一样的眉眼，奶奶死后被接入容府的锦雀却人见人爱，完全不像莺哥那样人气低迷。

总结原因，一来锦雀爱笑，同人说话未语先露三分笑意，像朵盛开在日光雨露下的太阳花，漂亮又干净；二来锦雀乐于助人，常帮园子里的花匠侍弄花草，帮厨房里的嬷嬷炖汤洗衣，还免费教小丫头们如何绣出最时兴的绣品。

锦雀是这样平易近人，拥有十七岁少女该有不该有的所有美好。莺哥同妹妹相比，着实没有这样多才多艺，唯一会的只是杀人，而杀人显然不能算作一门才艺。若她也是像寻常姑娘一般长大，如妹妹一样，每月有姐姐的月俸供养，熬汤绣花自不在话下。

可她不在乎，九年前容浔将她捡回来，容浔是她的救命恩人，他想要她变成什么样，她都会努力做到。好比她晕血，却成了杀手。好比她怕打雷，却能在怒雷滚滚中面不改色将目标置于死地。

四月十七，容浔二十四岁生辰。

暮春的雨无休无止。莺哥在赵国的任务中受伤，手臂被利剑划出一道可怖长痕，本应放缓行程将养，却惦记着容浔生辰，一路风餐露宿，紧赶慢赶七日，终赶在四月十六回到了四方城。

赵国盛产白瓷，她想着要亲手做一件瓷器带回郑国给容浔做生辰贺礼，遗憾的是刀虽使得利落，手工却连三岁小儿也及不上。跟着做陶瓷的老师傅学了好几日，才勉强弄出一个奇形怪状的杯子，喝酒嫌大，喝茶又嫌小，真不知道可以用来喝什么。

但杯上的白釉却上得极好，剔透莹润，一看就价值不菲。她将杯子用丝绸一层一层包好，行路七日，带回四方城，才踏进容府大门，已迫不及待地要奔去容浔房中拿给他看。

人人都说莺哥冷情，冷情的人偶尔流露这样孩子气的一面，其实是巨大的萌点……

落雨倾盆，院中梧桐遮天蔽日，阵阵春雷就落在浓荫之后，桐花在雨中瑟瑟发抖。应门的小厮递给她一把伞，她将蓑衣取下，抱紧怀中用丝绸裹了一层层又用油纸仔细包好的瓷杯，嘴角浮起笑意，撑了伞径自踏入雨中。

免了屋外随伺小丫头的禀报，她想着要给他一个惊喜，想着他此时看到她会是怎样表情，眉会是如何地蹙起，又是如何松开来做出似笑非笑的模样，甚至想到他见到她会说的第一句话："怎么这样快就回来，这一趟可顺利？"

归途马急，溅起的泥点子悉数洒上斗篷。她将斗篷脱下，并了油纸伞一同交给屋外的小丫头，只抱着怀中瓷杯，身法利落地闪过半开的房门。天边扯出一道闪电，如同神将的银枪划破苍茫暮色。闪电带过的浓光里，容浔正立在书案后提笔写什么字。

除此之外，一贯闲人免进的书房中，妹妹锦雀竟也兀自撑腮坐在案旁。

内室寂静，能听到狼毫划过宣纸的声响。容浔埋头写了好一会儿，抬头望向锦雀时，眼里含了隐约的笑："这两个字就是锦雀，你的名字。"

原本坐着的锦雀好奇站起，立在书案旁，仔细端详案上宣纸："那这边这一行字又是什么……"话尾和着天边猛然响起的怒雷转成一声惊叫，同时紧紧捂住耳朵蹲在地上。

正执起墨石研墨的容浔愣了愣，打量她半响，伸手将她拉起来："这么大了还怕打雷？"话未落雷声接连响起，刚被拉起来的锦雀捂住耳朵朝后一退，腿被桌子绊倒。他赶紧伸手将她抱住，免了她腰骨撞在桌子角，蹙眉道："怎么这样不小心。"

很久，他没有放开她。她两手仍紧紧捂住耳朵。

有些东西越是用力越留不住，就如莺哥的爱情，就如她手中瓷杯。内室外一声闷响，锦雀眼睛蓦然睁大，视线终止在门槛一截紫色裙角上。

铜灯台只点了一盏烛火，映得室内一片昏黄。晦暗光线里，容浔嗓音淡淡地说："谁？"

紫色裙角移动，锦缎摩擦的沙沙声就像晴好时院中梧桐随风起舞。一身紫衣的莺哥站在内室门口，鬓发在斗篷里裹得太久，散乱潮湿，缚在颊边额头，脸上神情冷如四月凉雨。

又是一声滚雷，似铁锤自高空砸落，锦雀在容浔怀中重重一抖，猛地将他推开，自己却一个趔趄差点摔倒。他一把握住她的手，昏黄烛光映一副银紫衣袖，上有蕙林兰皋。

将锦雀扶着站好，容浔转头看向门口的莺哥，仿佛才发现她："怎么这样快就回来，这一趟可顺利？"连开口所言都是她此前预想，一字不差。

她看着他，冷淡神色兀然浮出一丝笑，笑意渐至眼角，过渡如枯树渐生红花。脸上骤现的风情，假如久经欢场的青楼女子看到，也要让人家饮恨自杀。

那风情万般的一笑隐在浓如蝶翼的睫毛下，未到眼底："事情办得早，便早些回来。"

室内静谧，容浔抬头扫她一眼，重执起案上笔墨："那便下去歇着吧。"眼风瞟见地上黑色的布裹，"那是什么？"

她转身欲退，闻言拾起方才落在地上的包裹，顿了顿："没什么，不打紧的东西罢了。"

赵国之事处理得干净利落，容浔将清池居赏给莺哥。这赏赐着实大方，你知道古往今来一切事物虚无缥缈没有定数，唯有房子是在不断增值。

清池居在容府仅逊色于容浔所住的清影居，这就是说，两个院子都这么大，那为了符合建筑学上的对称审美，就必定要设计成东成西就南辕北辙，总之是绝不可能挨在一处。莺哥搬出紧挨着容浔寝居的集音阁，搬去和容浔隔得十万八千里的清池居。

她在集音阁住了六年，自十四岁到二十岁，终于从这院子里搬出来，而下一任客居在集音阁的，是她的妹妹锦雀。

一时间，容府台面下传出各种猜测。有传说认为莺哥彻底失宠，但传说又认为若是彻底失宠，容浔不可能还赏莺哥那么好一处房子，但后来传说觉得这房子可能是容浔补贴给莺哥的分手费。

有传说认为容浔爱上了锦雀，但传说又认为一个男人为了一个女人特地甩掉另一个女人只能有一个原因，就是这个女人特别有钱又长得特别美，可考虑到锦雀和莺哥长得一模一样，容浔要真是为了锦雀舍弃莺哥，那纯粹就是没事儿找抽了。

但后来传说觉得感情本身就是一场找抽，男人的感情世界更是难以言说，假如你不是男人就永远无法理解。不过按照这个说法，男人和女人在一起就远远不如男人和男人在一起和谐了，因为似乎只有男人之间才能比较容易地互相理解。于是发展到这个地步，传说就彻底跑题了。

就在容府私底下围绕这件事闹得沸沸扬扬之时，当事的三个人当中有两个都表现平静。

容浔身处高位，一向平静惯了。相比而言，莺哥的平静就有些令人琢磨不透。我似乎从未见过她狼狈的模样，即使那一夜闯入我房中在梦境里满面泪痕，也未像寻常人般痛哭失声。唯一不能平静的那个人是锦雀。

莺哥搬离集音阁那一日，锦雀在前往清池居的一处假山旁拦住她，神情憔悴，爱笑的一双眼没有半点神采，却定定看着自己的姐姐："你为什么不骂我？为什么不理我？姐，你是不是，是不是讨厌、讨厌……"

话未完泪水已顺着眼角滑下，滴在衣襟上也来不及擦一擦。头上海棠花开，纷然如火。她猛地扑到莺哥怀中，死死将她抵到假山旁，搂着她的脖子，就像小时候一样，泪水滴到她脸颊上。

被她死死搂住的莺哥终于低头来看她，浓黑瞳仁里映出她的模样，同垂落到眼前的海棠花枝没有两样。锦雀哽咽气息吐在她耳旁："姐，我们离开这里，容浔不是你的良人。"

莺哥背靠着假山，紫色的锦绣长裙上织出大幅蝶恋花，春意融融的一幅好图案，穿在她身上只显得冷淡。锦雀紧紧贴在她身上，哭得气息不匀。她头枕着一块凹下的山石，微微扬起下巴，看着高远蓝天，轻轻笑了两声："你可知道，家养的杀手离开自己的主人，后果是怎样？五年，我为了容家，树了太多的敌。"

死死贴住她的妹妹蓦然抬头："借口，你不愿意离开，因为你喜欢容浔，对不对？"

她眼中骤现冷意。

锦雀抱住她，牙齿都似在打战："我会向你证明，他绝不是你的良人。"

莺哥放下要搭在锦雀肩膀的手，仍是微微抬头的模样，眼中映出大片火红的海棠花，声音听不出情绪："锦雀，这么多年，我不在你身边，你是不是很寂寞？"

锦雀的证明来得十分快捷，快得就像她姐姐手中的刀，假使在其他事情上也能有如此效率，早就成为一代自强少女。

不过前提是五月十六那夜的刺客也是她所安排，但这样我就把人心看得太险恶，也许这一切只是天意，锦雀不过借了天意的势。

天意让只开于刹那的优昙花盛开于那夜容府的剪春园，天意让容浔忽然来了兴致携着锦雀游园赏月，天意让不能安眠的莺哥深夜跑来剪春园的池子里濯磨随身短刀，天意让刺客在他们三人不期然相交的视线里蓦然出现。

要说容浔领廷尉之职，掌管大郑刑狱，府上时有刺客造访，大家都已经习惯，实在没有什么好大惊小怪的。只是这次刺客的目标乍看却并不是容浔，月色下剑光似刁钻蛇影，竟直奔跪在池边的莺哥而去。

这一击快得让人来不及反应，若莺哥不是多年杀手，说不定就此绝命。幸亏每天研究的就是如何杀人以及如何贴着敌人的刀口活命，凭着多年本能贴地一滚，险险躲过。

于刺客而言，最要紧的就是发难那一刀，既然先机已失，要再把目标弄死谈何容易。就在莺哥提刀相抗之时，却有另一道剑影直刺容浔背心。

我才反应过来是一双刺客行事，前者不过是为牵制住她，后者办的才是正经事。但他们远远不了解的是，容浔的身手其实远在莺哥之上。

黑衣的刺客难以置信地盯着穿胸而过的长剑，似乎并不明白为什么方才还背对自己揽着那红衣少女全无防备的廷尉大人，顷刻间就要了自己的命。但眼神里忽然显出最后一丝狠辣，使力一抛，推着手中利剑朝正与另一名刺客缠斗的莺哥直直钉过去。"姐——"一声惊呼划破半个剪春园，呼声中锦雀朝着疾驰的剑尖飞扑而去。利刃穿腹而过，发出极闷的一声。

与此同时，莺哥的短刀狠狠划过与之缠斗的刺客颈项，刺客的长刀亦穿过她的肩胛骨，牢牢地直钉到剑柄处。血顺着衣襟漫过胸口，幸好是紫色的长裙，也不容易看得出。她抬眼向方才响起惊叫的方向

望去，正见着容浔颤抖着双手将倒在血泊里的锦雀搂在怀中。

她从未见过他如此失态的模样，其实那刀虽刺中腹部，看着严重，却并无大碍。她十八岁那年也受过这样的伤，在床上躺半个月也就过去，只是痛得有点受罪。

锦雀在容浔怀中小猫似的呻吟："……痛……我痛……"

容浔的颊紧紧靠住她的额头，嗓音低沉喑哑："别怕，我在这里，我们马上去看大夫，乖，忍着点。"小心翼翼将她抱起来。

她轻轻地哭了一声："姐……姐姐……"紧蹙双眉的容浔终于回过头来看了眼莺哥。

面色苍白的莺哥勉强笑笑，撑着走近一些："我在这里。"顿了顿又道，"我没事。"

锦雀终于放心地晕了过去，而容浔身子一颤，眼中蓦然出现的是仿佛就要失去什么天底下最贵重东西的惊惶。

她愣了愣，淡淡看向他："不是什么大伤，她只是晕血罢了。"他却根本没有听进她的话，看也未再看她一眼，旋身间已抱着锦雀匆匆而去。

她看着他的背影，终于力竭，扑通一声跪倒在地，而后整个人都躺倒在池塘边上，有裙裾落入池水中，似一片紫色的荷叶，刺入肩胛的利剑就这么被身下泥地生生顶出去，又在骨头里磨一次。她终于闷哼出声，睁眼望着墨色天幕里漫天繁星，想起十六岁生日时容浔的那句话："月娘，为了我，成为容家最好的杀手。"

她笑出声来："你终于还是不需要我了。"

无人应答，偶有夏虫嘶鸣。她止住笑，将手举起来，仔细看十指间沾满的血痕："我其实真的、真的很讨厌杀人……"

星空下蓦然优昙花开，衬着冷月湖光，绽出幽幽白蕊，似雪做的秋花采了月色。躺倒在优昙花中的莺哥缓缓闭上眼睛，用手盖住，半响，十指移开处有淡淡的泪痕，眼中却黑白分明，一丝情绪也无。

这就是一个杀手的软弱，即便是软弱，也是软弱在任何人都看不到的地方，连自己都看不到的地方。

锦雀的伤的确不是什么大伤，但因身子比不得姐姐厚实，仍在床上躺了一月有余。此后，容浔少有招莺哥随侍，如同容府没有这个人。

听说有其他杀手出任务时想同莺哥搭档，主动向容浔提起，他容色淡然："容府里没有不能护主的护卫，更没有靠他人做靶子才活得下来的杀手。"他就这样舍弃她，甚至懒得通知她一声。

他是主，她是仆。自他在那个冬夜救下她开始，她就把命交给他，他也只当握在手心里的是一条命，一个属于自己的东西，想要便要，想扔便扔，没有想到那是这世间独一无二的一颗真心。

九月鹰飞，王家围猎。锦雀终于好得利索，容浔担心她在府里闷得太久，决定带她去散心。大约流年不利，一散就散出问题。这几乎是意料中事，只怪容浔不够小心，不知道财不露白，才女也不能露白，何况锦雀这样多才多艺。

围猎中，景侯容垣的小雪豹不慎，不知被哪里来的流箭所伤，正好让懵懂迷路的锦雀救下。看似只是寻常好人好事，但第二日，前爪被包扎得严严实实的小雪豹便由宫中的宦臣抱着送进了容府。

景侯之父靖侯因一头雪豹与其母夏末夫人定情，是传遍整个郑王室的风月美谈，容垣身边的小雪豹正是当年那头雪豹的子孙，将其送入廷尉府，其意不言自明。简单来讲，就是景侯容垣看上了锦雀，暗示容浔可将府上的这位女眷送入王宫。

当夜，莺哥收到容浔下任务专用的秘信，这还是三月里头一回，挂在墙头的长短刀久不饮人血，都失了戾气。她脸上没有任何表情，眼睛却蓦然生动，溢出琉璃般的华彩。信封在手中颤了好一会儿才被缓缓打开。昏黄烛火映着白纸黑字，寻常难以动容的莺哥红润脸庞忽然血色尽褪，眼中的华彩也瞬间熄灭，撑着桌案几欲跌倒，良久，却轻轻笑了两声，黑白分明的眸子里清晰地映出一行字，龙飞凤舞、苍润遒劲："代锦雀入宫。"

她拿着那封信看了许久，将它靠近烛火，火苗舔上来，顷刻化为灰烬。

那一夜，浮月当空，星蒙如尘。容浔的清影居再次迎来刺客，不愧全大郑被暗杀次数最多的朝臣，也可看出廷尉这个职业着实高危。月影摇晃梧桐，沙沙声寂寥如歌。容浔静静立在书案前，手中还握着一方墨石，灯台的蜡烛被刀风所灭，烛芯慢吞吞腾起两抹青烟，莺哥的刀稳稳贴住他的脖颈。

他抬头看她："我没想过，你的刀有一天会架在我的脖子上。"

她笑笑："我也没想过。"

风吹得窗棂重重一响，她微微偏了头，带了疑惑神色："你不害怕，因为你觉得我不会杀你，你不相信我会杀你，对不对？"

他却只是看着她。

她身子极近地靠过去，几乎将头放在他右肩，假如将仍未放松贴住他左侧颈项的刀刃忽略不计，那简直就是一个缠绵拥抱的姿势。她的声音轻轻响在他耳边："我也不相信。"

语声多么轻柔，语毕动作便多么凶猛，刹那间手中短刀刀柄已交付到容浔手中，她握住他持着刀柄的右手，直直向自己胸口刺下去。刀尖险险停在胸膛一指处，鲜血沿着容浔紧握住刀锋的左手五指汇成一条红线。他蹙紧眉头，低沉嗓音隐含怒意："你疯了？"

她瞧着他，似乎不明白他为什么会说出这样的话，好一会儿，恍然大悟似的："我没疯，我很清醒。你看，我还知道哪里是一刀毙命。"

她语声既轻且柔，响在这暗淡夜色里："容浔，我杀不了你。你救了我，救了我们一家，这样的大恩，我是不敢忘的，为你做什么事都是该的，是报恩，报活命之恩、养育之恩。可你让我做这样的事，让我代替锦雀入宫，嫁给你叔叔，只因你舍不得锦雀。"

她顿了顿，唇边隐含的笑意像她十五岁那样干净无瑕，却只是一瞬，那笑绕进眸子里，绵密如万千蛛丝，不知是真心还是假意。她看着容浔，缓缓闭了双眼，握住他的手对准自己胸口："杀了我，我就自由了。"

月影被摇曳的梧桐扯得斑驳，她想自毁，他却紧紧握着刀锋不放开，五指间浸出的赤红汇成一股细流，滴答跌落地板。他的声音在她耳畔响起："我不要你的命。代锦雀入宫，再为我做这最后一件事，从此以后，你就自由了。"

她双眼蓦然睁开，正对上他眸中难辨神色，似难以置信，终于，眼泪扑簌跌落。

她性子算不上平静，忍了这么久，只因有不能伤心的理由。这样的一个人，哭也是哭得隐忍不发，只泪水珠子般从眼角滚落，无半点声息。短刀落地，哐当一声，她看着地上那摊血，困难地抬头："容浔，你是不是觉得，杀手都是没有心的？"

他没有说话。

她慢慢蹲在地上，似耗尽所有力气，昔日的威风和严厉一时荡然无存，瑟缩得就像个孩子，全身都在发抖："怎么可能没有心呢，我把它放在你那里，可容浔，你把它丢到哪里去了？"又像在问自己，"丢到哪里去了？"

他身形一顿。半响，将未受伤的那只手递给她："先起来。"

她怔了怔，满面泪痕望着他，却无半点哭泣神色，微皱着眉头："我一直想问一句，这么多年，我在你心里算是什么？"

　　良久，他缓缓道："月娘，你一直都做得很好，是容家，最好的一把刀。"

　　她极慢地抬头，极慢地站起来，方才的软弱已全然不见踪影，仿佛那切切悲声只是一场幻觉。紫色衣袖擦过布满泪痕的双眼，拂过处又是从前冷静的莺哥。她看着他，像是认识了一辈子，又像是从不认识，许久，眼中浮起一丝冷淡笑意："我为你办这最后一件事，我再不欠你什么。"

　　她大步踏出房门，门槛处顿了顿："容浔，假如有一天你不爱锦雀了，请善待她，别像对我这样，她不像我，是个杀手。"

　　由此看出信任这东西弥足珍贵，不能随便施予，就如莺哥，盲目相信自己是容浔最特别的人，因她是容家最好的杀手。

　　是她将自己看得太高，将容浔看得太低。不幸的是，从十一岁到二十岁，足足九年她才看明白这个道理。万幸的是，她终于看明白了这个道理。

第五章

此后一月，清池居秘密出入许多疡医。这些上了年纪的老医师被
蒙住眼睛，一个换一个抬进莺哥的院子，不多时又被抬出去。院中流
出的渠水泛出药汤的污渍，棕色的药渣一日多过一日。整个清池居在
潺潺流水中静寂如死。如死静寂的一个月里，莺哥身上旧时留下的刀
伤剑痕奇迹般被尽数除去，这能看出郑国的整容技术还是很可以的。

可能是容浔想要莺哥从里到外都变成锦雀。骨子里成为锦雀是不
可能了，那至少身体要像锦雀的身体，就是说绝不能有半道伤痕。即
使有，也不能是长剑所砍，应该是水果刀削苹果不小心削出来的，这
才像个身家清白值得容垣一见钟情的好女子。

容垣治下一向太平，难以发生大事，莺哥入宫成为这年郑国最大
的事。史官们很高兴，你想，假如莺哥不入宫，他们都不知道今年郑
史该写些什么。

能领着慕言踏过结梦梁走入莺哥的梦境，因鲛珠令我们在某种程

度上神思相通。即便如此，也不能猜透甫入宫的这一夜，坐在昭宁西殿的莺哥到底在想些什么。

明明十月秋凉，她手中仍执了把夏日才用得着的竹骨折扇，天生带一股冷意的眉眼敛得又淡又温顺，完全看不出曾经是个杀手。当她执起折扇敲在脚边小雪豹头上，企图让它离自己远一点儿时，我们弄明白了这把折扇的具体用途，只是还来不及进一步探究，容垣已出现在寝殿门口。

其实从我和慕言站的角度，着实难以第一时间发现容垣行踪，只是感到一股逼人气势迎面扑来，抬起头，就看到郑侯顾长的身影近在咫尺，掩住殿前半轮明月。

这说明容垣注定是一国之君的命。一个人的气势强大得完全无法隐藏，那他这辈子除了当国君以外，也不能再当其他的什么。莺哥执着扇子敲打雪豹的手一顿，生生改成轻柔抚摸的动作。于她而言，这些毛茸茸的东西只分可入口和不可入口，但此时是在容垣眼皮底下，容垣眼中，她是救了小雪豹的锦雀，锦雀哪怕对地上的一只蚂蚁都亲切温柔。虽然她不是锦雀，她最讨厌这些毛茸茸的所谓宠物，但这世上无人在乎，她不是锦雀，只有她自己知道。

因是逆光，虽相距不过数尺，也不能看清容垣脸上表情，只看到月白深衣洒落点点星光，如一树银白的藤蔓，每行一步，都在身周烛光里荡起一圈细密涟漪。

莺哥强抱住哀哀挣扎的小雪豹坐在床沿，微垂着头，看似一副害羞模样，也许本意就是想做出害羞的模样，但强装半天，神色间也没晕出半点嫣红来聊表羞涩，倒是流云鬓下的秀致容颜愈见苍白。容垣站在她面前，黑如深潭的眼睛扫过她怀中兀自奋力挣扎的小雪豹，再扫过垂头的她：“屋里的侍婢呢？”

雪豹终于挣开来，从她膝头奋力跳下去。她愣了愣：“人多晃得我眼晕，便让她们先歇着了。"

他淡淡应了一声，挥手拂过屏风前挽起的床帷，落地灯台的烛光在明黄帐幔上绣出两个靠得极近的人影。他的声音沉沉地，就响在她头顶："那今夜，便由你为孤宽衣吧。"

宫灯朦胧，莺哥细长的手指缓缓抓住容垣深衣腰带，佩玉轻响。

他突然反握住她的手，她抬头讶然看他，他的唇就擦过她脸颊。

幔帐映出床榻上交叠的人影，容垣的深衣仍妥帖穿在身上，莺哥一身长可及地的紫缎袍子却先一步滑落肩头，露出好看的锁骨和大片雪白肌肤。

明明是用力相吻，两人的眼睛却都睁得大大的，说明大家都很清醒。而且贴那么紧两人都能坐怀不乱，对彼此来说真是致命的打击。中场分开时，莺哥微微喘着气，原本苍白的嘴唇似涂了胭脂，显出浓丽的绯色，眼角都湿透了。容垣的手擦过她眼侧，低声问："哭了？"她看着他不说话。他修长的手臂撑在瓷枕旁，微微皱眉："害怕？"未等她回答，已翻身平躺，枕在另一块瓷枕之上，"害怕就睡觉吧。"

我暗自失望地叹了口气，还没叹完，竟见到衣衫半解的莺哥突然一个翻身跨坐在容垣腰上："陛下让我自己来，我就不害怕了。"

眼角红润，嘴唇紧抿，神色坚定……看上去不像是在开玩笑……

虽然莺哥顺着容垣的话承认确实是自己害怕，但我晓得，她并不是害怕才哭，一个人连生死都可以置之度外，也就可以把贞操什么的置之度外，何况容垣还是一个帅哥。

时而相通时而不通的神思让我明白，她只是突然想起了容浔，心中难过。但让她难过的并不是容浔移情爱上了锦雀，是他明知道今夜会发生什么、以后无数的夜晚会发生什么，他还是将她送进了容垣的王宫，她哭的就是这个。

容垣漆黑的眸子深不见底，静静地看着她。她将头埋进他肩膀，发丝挨着脊背滑落，似断崖上飞流直下的黑瀑，良久，笑了一声："总有一日要与陛下如此，那晚一日不如早一日，陛下说是不是？"话毕，果断地抬头扒容垣身上无一丝褶皱的深衣，拿惯长短刀的一双手微微发着抖，却一直没有停下来。

他的神情隐没在她俯身而下的阴影里，半晌，道："你会吗？"

按照我的本意，其实还想继续看下去。修习华胥引要有所成，必须不能惧怕许多东西，比如血腥、暴力、春宫，以及血腥暴力的春宫。

你知道细节决定成败，以华胥引为他人圆梦许多细节就隐藏在这些场景之中，必须生一双慧眼仔细分辨，假使不幸像我这样没有慧眼，就要更加仔细地分辨。但此次身边跟了慕言，他一定觉得这样有失体统，从容垣吻上莺哥的脸颊，我就在等待他将我一把拉出昭宁殿。

我连届时应付他的台词都想好了。他说："你一个小姑娘，怎么能偷看别人的闺房之乐，跟我出去。"我就说："仁者见仁，智者见智，他们今夜洞房，你看到的就是闺房之乐？抱歉，我看到的和你完全不一样，我看到的是什么困住了莺哥让她陷入昏眠不能醒来，看到她心里打了千千万万个结。"他一定自惭形秽，问我："那是什么困住了她？"我就说："哦，暂时还了解得不够全面，让我把这一段全部看完再说。"

莺哥俯身搂住容垣脖颈的一刹那，慕言终于发话，但是所说台词和我想的完全不同。他缓缓摇着扇子，漫不经心问我："好看吗？"

我实在不好意思说好看，讷讷半天，道："不，不好看。"

他继续摇扇子："既然不好看，咱们还要继续看吗？"

我说："还是勉强……"

他说："哦？你说什么？你觉得这个很好看啊……"

我说："不，不看了，这个绝对很难看的，一点都不适合我这样的小姑娘。"

他点点头："那我们先出去吧。"

他朝昭宁殿门口移步，行过两三步，转头似笑非笑看我："怎么还不跟上来？"

我眼风扫了床前明黄的幔帐一眼，含恨小跑两步跟上他："嗯……来了。"

景侯容垣初遇莺哥这一年，虚岁二十五，后宫储了八位如夫人，年前病死了一位，还剩七位。莺哥嫁进来，正好填补两桌麻将的空缺，让郑国后宫一片欢声笑语，重回和谐……以上全是我胡说的，莺哥不打麻将，容垣的七个小老婆也不打。

可以想象，倘若君玮在二十五岁娶了八个老婆，我们都会觉得他是个人渣。但容垣二十五岁有八个老婆，全天下的人都觉得，郑国的国君真是洁身自好清心寡欲。可见天下人对国君的要求实在很低。

话说回来，即便后宫只有八位佳丽，竞争依然是激烈的。大家都很忙，每天都要忙着梳妆、补妆、再梳妆、再补妆以及全身保养什么的，连睡觉都不放松警惕。人人都想用最好的面貌恭候国君的临幸，哪怕容垣半夜三更跑来，也务必要在他面前做到花枝招展，更哪怕他是在她们上厕所的时候跑来。

久而久之，她们就成了郑国化妆和上厕所最迅猛的女子。

这种状况一如既往，一直延续到诞下曦和公主的沁柳夫人病逝。

沁柳夫人病逝，留下五岁的曦和公主，曦和公主容罩是容垣唯一的子息。

一方面是冷漠的、清心寡欲的一国之君，伴君如伴虎不说，从来难测的就是九重君心；另一方面是年幼丧母、不具任何威胁力的小公主，只要得到她的抚养权，在大郑后宫里就能永享一席之地；面对此种情况，稍微有点判断能力的都会选择后者。

这导致后宫残留的七位夫人纷纷曲线救国，抛弃从前的生活方式，集体投入到争夺小公主抚养权的斗争当中。这注定是要一无所成的一件事。有时候，争即是不争，不争即是争。后宫里一番热斗的结果是，容垣直接将曦和公主送去了刚刚入主昭宁西殿的莺哥手中。

小公主抱了只受伤的小兔子忧心忡忡站在莺哥面前："父王说夫人你会给小兔子包伤口，这里、这里，还有这里。小兔子被坏奴才打出一、二、三，呀，有三个伤口，夫人你快给小兔子包一包。"

昭宁殿前两株老樱树落光了叶子，她抬头正对上曦和身后容垣的视线。他长身玉立，站在枯瘦的樱树下，黑如古潭的眸子平静无波，深不可测。

还没有当妈就要先当后妈是一件比较痛苦的事，就好比本以为娶的是一个年轻貌美的姑娘，结果红盖头一掀原来是年轻貌美的姑娘他娘，这种幻灭感不是一般人能够忍受的。

好在莺哥和大多数对现实认识不清的贵族小姐都不相同，对婚姻生活没抱什么匪夷所思的浪漫幻想。自从一脚踏进容垣的后宫，她就一直在等待一个时机，能让她掩耳盗铃顺利逃出去的时机。

前半生她是一个杀手，为容浔而活，但容浔将她丢弃在荒芜的大郑宫里，干干净净地，不带丝毫犹豫地。

她才晓得自己活了这么多年，其实只是个工具，工具只要完成自己的使命就好，你要求主人对你一辈子负责，这显然不是个工具该有的态度，好的工具应该不求回报一心只为达成主人的心愿，临死前还要想着死后化作春泥更护花什么的。而此时，莺哥认为自己已经当够了工具，她陷入这巨大的牢笼，没有人来救她，她就自救，没有人对她好，她要自己对自己好。

她在昭宁西殿冬日的暖阳里作出这个看似不错的决定：一旦离开四方城，就去找一个山清水秀的小村庄，买两亩薄地，也去学点织布什么的寻常女子技艺，这样就不用杀人也能养活自己了。

这时机很快来临。

冬月十二，曦和的生母沁柳夫人周年祭，莺哥领着曦和前往灵山祭拜，容垣拨了直属卫队贴身跟着。车队行到半山腰，遇到不知从哪里冒出来的一堆强人行刺，尽管有禁卫的严密防护，但百密一疏，加上地势着实险要，莺哥抱着曦和双双跌落灵山山崖。

其实按照莺哥的本意，并不想带上曦和这个拖油瓶，但没有办法，一切都发生得太快。还没等她看准时机一不小心主动从山崖上跌下去，曦和已经瑟瑟发抖地抱着小兔子先行跌落下去。倘若她不救她，五岁的小公主就是个死，当了她两个月的后妈，她也有点于心不忍。

一路急坠直下，怀里抱着个半大的孩子，身手再好也不容易以刀借力缓住坠势。好在虽是高崖，但高得并不离谱，坠落过程中又用腰带缠住树枝缓了一缓，触地时只是摔断了右腿腿骨。小公主稳稳趴在她身上，怀里还紧紧搂着两个月前救下的那只小白兔，身上没什么伤，只是人吓昏了过去。

遇到此种情况，一般应该停留原地以待搭救，但莺哥是想借机逃走，就不能多作停留，但又不能带走曦和。假使是她一人，顶多叫行踪不明，加上曦和，就是拐带公主畏罪潜逃，势必要被千里追捕。

山中暮色渐浓，她撑着身子爬起来，将曦和拖抱到附近一处山洞，升起一堆篝火，又将怀中颓然的兔子简单料理，穿在树枝上烤得流油，烤好后仔细去骨，把兔子皮、兔子骨头一概毁尸灭迹，只将一堆干爽兔肉包好放在昏迷的曦和身旁。

冬日深山，昏鸦枯树，大多活物都已冬眠。遑论目前她是个瘸子，就算四肢健全，这样贫瘠的条件也难以觅食，幸好曦和坠崖还带了只兔子。这样即便她离开，容垣的卫队又一时半会儿没法赶来，小公主也不会被饿死或是被什么未冬眠的活物害死，总之人身安全算是得到了保障。

拖着伤腿离开山洞时，许久不曾真心笑过的莺哥撑着刚削好的手杖，眼底泛起一丝轻快笑意。

但没走两步，笑意倏地冻结眼底。

前方一处水雾缭绕的寒潭旁，似从天而降，白色的锦缎一闪，蓦然出现本应在王宫批阅公文的容垣的身影。几只倦鸟长鸣着归巢栖息，山月扯破云层透出半张脸，寒光泠泠，四围无一处可藏身。她握紧手杖，眼神暗了暗，一动不动地等着他披星戴月疾行而来。软靴踩过碎叶枯枝，他在她面前两步停住，袖口前裾沾满草色泥灰，模样多少有些颓唐，俊朗容色里却未见半分不适，一双深潭般的眸子扫过她手中树杖，扫过她右腿："怎么弄成这样？"

她抬头看他，目光却是向着远处的潭水："曦和没事儿，只是受了惊，还在昏睡，我出来……"她顿了顿："给她打点儿水。"

他看着她不说话。

她愣了愣，勉强一笑："腿……也没什么事……"

他漆黑眸子瞬间浮出恼怒神色，一个掣肘将她压制在左侧崖壁，断腿无征兆剧烈移动，可以想象痛到什么程度。但莺哥毕竟是莺哥，连肩胛骨被钉穿都只是闷哼一声，这种情况只是反射性皱了皱眉。

他将她困在一臂之间，"痛吗？"

她咬唇未作回答，齿间却逸出一丝凉气。他眼中神色一暗，空出的手取下头上玉簪堵住她的口，青丝滑落间，已俯身握住她的腿："痛就喊出来。"

骨头咔嚓一声，她额上沁出大滴冷汗，接骨之痛好比钢刀刮骨，她却哼都未哼一声。他眸中怒色更深，几乎是贴住她，却小心避开她刚接好的右腿："是谁教得你这样，腿断了也不吭一声，痛急也强忍着？"

她怔怔看着他。

他皱着眉任她瞧，手指却抚上她眼角，神色渐渐和缓，又是从前那个没什么表情的容垣。她眼睛一眨，眸中泛起一层水雾，赶紧抬头。

他扣住她的头，让她不能动弹，就这么直直看着她水雾弥漫的一双眼，看着泪滴自眼角滑下，额头抵住她的额头，轻声在她耳边说："锦雀，哭出来。"

哭这种事就是一发不可收拾，低低抽噎声起，顷刻间便是一场失声的痛哭，估计莺哥也不知道自己为什么哭，但这至少让我们明白，原来天下间的女子，没有谁是天生不会哭的。

他紧紧抱住她，在这寒潭边荒月下，嗓音沉沉地说："好了，我在这里。"

莺哥哭得脱力，我想有一半原因是好不容易找到机会逃走，结果被容垣破坏了，需要发泄。当我把这个想法说给慕言，他对此作了如下评价："阿拂，你真是个实际的姑娘。"

终归我只是个做生意的，虽然自觉还是比较多愁善感，但当神思不在一个步调上时，基本搞不懂莺哥在想什么，这是我所见过的心防最重的姑娘。

因是她自己在昏睡中造出的梦境，不是我所编织，就只能像看连环画一般看着这些事一幕一幕发生，无半点回转之力。不好说坠崖这事之后容垣和莺哥的感情就有什么实质性的进展，这着实难以判断，看上去他们俩该进展不该进展的早进展完了。只是那一夜莺哥被抬回郑宫后，宿的不是昭宁西殿，而是容垣的寝宫清凉殿。

郑侯寝殿殿名清凉，殿内的陈设也是一派清凉简单，只灯台旁一只琉璃瓶中插的两束白樱干花，在深冬里显出几许空幽寂然。莺哥腿上的伤被宫里的医师细心包扎后基本无碍，但折腾太久，还未入更便满面倦色地挨进了床里。侍女捻直灯芯，容垣大约睡意不盛，握了卷书靠在床头。两下无言。

我一看没什么可看的，就打算拉慕言出去观赏一会儿枯木繁星，手伸出去还没握到他袖子，却见凝神看书的容垣一边翻页一边抬起眼睑，待目光重落回书上时，嗓音已淡淡然响起来："睡过来些。"

慕言侧首看我一眼，我定住脚步。闭目的莺哥在我们无声交流时轻轻翻了个身，被子微隆，看似缩短了彼此距离，实际不过换个睡姿。容垣从书卷中抬头，蹙眉端详一阵，低头继续翻页："我怕冷，再睡过来些。"

这一次莺哥没有再动，估摸假意睡熟。但事实证明都已经躺到了一张床上，装不装睡其实都一样。果然灭灯就寝时，侧身而卧的莺哥被容垣一把捞进怀中。她在他胸前微微挣了挣，这一点纯粹是通过衣料摩擦和后续容垣的说话内容来辨别的。

漆黑夜色如浓墨将整个梦境包围，容垣清冷嗓音沉沉地响在这无边的梦境："怎么这样不听话，都说了我怕冷。"莺哥淡淡地："让人去拿个汤婆。"半晌，听到冷如细雪的两个字，明明是在调笑，却严肃得像是下一道禁令："偏不。"

男人愿意同女人睡觉是一回事，愿意同女人盖一床被子纯聊天又是一回事，从这里我们可以看出容垣是个明君，当然谁要说可以看出他人道不能那我也没有话说。但要友情提醒，你可以形容一个男人惨无人道，千万别形容人家人道不能，但凡还是个男人，但凡还有一口气，爬也要爬过去把你人道毁灭。

第二日莺哥醒来时，已是暖阳高照。窗外偶有几只耐冬的寒鸟啾鸣，日光透过镂花的窗格子投进来，映到绸被上，似抹了层淡淡的光晕。不便行动的莺哥坐在光晕里怔了许久，脸上一副毫无表情的空白。

一出宫就发生遇刺坠崖这样的大事，作为一个负责任的丈夫，近期内都不该再让妻子出门。但第一名的思维不好用常理推断，哪怕是削苹果皮第一、嗑瓜子第一，何况容垣这种郑国刀术第一。

半月而已，莺哥的伤已好得看不出形迹。夜里容垣临幸昭宁殿，目光停驻在她紫色笼裙下那截受过伤的小腿上，良久："入宫三月，是不是有些闷，明日，孤陪你出去走走。"

大约以为容垣口中的出去走走也就是王宫范围内，真正被领到四方城大街上，沉稳如莺哥一时也有些反应不过来。而我和慕言只是觉得千古繁华一都，昨日繁华同今日繁华并无不同。

大街上，容色淡漠的贵公子偏头问身旁过门三月的新妇："想去什么地方？"

莺哥整个人都被塞进极厚的棉袄，外头还裹了件狐狸毛滚边的紫缎披风，兜帽下露出一双婉转浓丽的眼："陛下既让妾拿主意……"想了想，道，"那便去碧芙楼吧。"

容垣略抬眼帘，眸中微讶，转瞬即逝，只是伸手拂过她的兜帽，带下两片从街树上翩然而下的枯叶。

容垣诧异自有道理，因碧芙楼名字虽起得风雅，听起来有点像卖荷花的，实际上不是卖荷花的，是四方城内一座有名的大赌坊。

经常有外国人千里迢迢跑来这里聚众赌博，本来这事是违法的，但国际友人没事儿就往这里跑，无意间竟带动当地旅游业迅猛发展，这是多么纠结的一件事。

祖宗之法诚可贵，挡着赚钱就该废。政府花很长时间来琢磨这个事，看怎么才能既出墙又立牌坊，最后加大改革力度，干脆把聚众赌博做成一个产业。各大中小赌坊在国家鼓励下自相残杀，三年后只剩碧芙楼一楼坐大，正当老板觉得可以笑傲江湖，哪晓得被强行以成本价卖给国家……

　　我大约明白莺哥为什么想去碧芙楼，做廷尉府杀手时，容浔主张杀手们应该修身养性，戒骄戒躁、戒痴妄、戒贪欲，赌是贪欲，加上暗杀对象没一个是好赌之人，导致莺哥在十丈红尘摸爬滚打二十年，一次也没去过集世间贪欲之大成的赌坊。

　　看着前方缓慢前行的雍容身影，我忍不住对慕言道："容垣他其实也晓得莺哥身体好，还给她穿那么多，裹得像个粽子，要是有刺客，怎么使刀？指望她圆滚滚地滚过去把刺客压死吗？"

　　慕言停下脚步，竟然难得的没有立刻反驳，反而认真想了想："男人大多如此，爱上的姑娘再要强，也不过是个姑娘，总还是希望免她受惊受苦，要亲眼看着她衣食丰足快乐无忧才能安心。"

　　胸膛里猛地一跳，我看向一旁："你能这么想，以后嫁你的姑娘一定有福气。"但我注定不能成为这个有福气的姑娘。

　　他竟然一本正经点头，目光扫过来，似笑非笑看着我："对，嫁给我有很多好处。"

　　心中更加沮丧，我不能成为那个嫁他的姑娘，也不希望任何人成为。甚至有一点恶毒地想，这个人不能爱我，干脆让他不要爱上任何人好了。或者干脆让他去爱男人好了。

　　玄武街上，碧芙楼飞檐翘角，气派非凡，一切格局都仿造政府办公楼，将左边城里最大的酒楼和右边城里最大的青楼统统比下去。

　　进入其中，看到斗鸡走狗、麻将围棋、六博蹴鞠，名目繁多，仿佛天下赌戏尽在此地，难怪好赌之人没事就往这儿跑。

　　但传说碧芙楼这个地方没有赌徒，只有赌客，因一切被称为"徒"的东西都不是好东西，比如歹徒，但歹客你就不知道是什么东西。

碧芙楼的赌客皆是富家子，一掷千金，输赢俱以千金起，想来莺哥今日要坐上赌桌是没戏了，不是特地为赌，哪个神经病会揣着千金的银票去逛街。场中数玩儿六博的桌子前围人最多，莺哥缓走两步亦围到桌前，容垣随后。

乍看莺哥身后的白衣公子一身不显山露水的富贵，小二乐颠乐颠跑来低眉顺眼地撺掇，说场子里那位锦衣公子是玩儿六博棋的高手高手高高手，在碧芙楼玩儿了三年，从没失过手，若是容垣有意，他倒可以牵线促成这一战。

说了半天看容垣没什么反应，出于一种不知道什么样的心态，开始大夸特夸那锦衣公子如何神秘，说谁都不知道他的名字，更不知他身份背景，只知他老家在楼国新良地区，因长年只玩儿六博，所以人们就亲切而不失礼貌地称呼他为新良博客……

小二又说了半天，容垣还是毫无动静，好在终于打动一旁的莺哥，那一双浓黑的眸子轻飘飘晔过来："这倒挺有趣，陛……夫君的六博棋也玩儿得好，何不下场试试，兴许真能赢过他？"

容垣低头看她一眼："兴许？"顿了顿，"没带钱。"

小二："……"

场中新良博客的骄棋吃掉对方三枚黑子，胜负已定，围观群众发出一阵毫无悬念的唏嘘，才说了自己没钱的容垣待输掉那人起身时，不动声色地接了人家的位子。对面的新良博客愣了愣："今日十五，十五小可只对三场，三场已满，恕不能奉陪了。"

容垣玩儿着手上的白子，容色淡然："听说你三年没失过手。我能赢你，我夫人却不相信，今日应下这战局，你要多大的赌筹都无妨。"

被人们亲切而不失礼貌地尊称为新良博客的青年露出惊讶神色，目光落在容垣身后，嗤笑道："阁下好大的口气，既要小可破这个规矩，今日这一局，也不妨赌得大些。小可压上小可之妻来赌一把，阁下也压上身后的这位夫人，如何？"

莺哥原本红润的脸色瞬间煞白。我知道那是为什么。

寂静从六博棋桌开始蔓延，大张大合，楼内一时无声。容垣指间的白子嗒的一声敲在花梨木棋桌上，声音没什么起伏："换个赌注。"

青年露出玩味神色："阁下方才不是斩钉截铁这一局定能赢过小可？既是如此，暂且委屈一下尊夫人有何不可？"

容垣手中的棋子无声裂成四块，他面无表情将手摊开，像刀口切过的两道断痕："我前一刻还想好好珍惜它，后一刻却将它捏碎了，可见世上从无绝对之事。既是如此，拿所爱之人冒这样的险，"顿了顿，"就未免儿戏。"

还没恢复过来的莺哥猛然抬起头来，正迎上容垣抬手扔过来的长刀，刀柄嵌了枚巨大的蓝色玉石，那通透的质地、流转的光晕，不晓得开多少座山才能采出这么一粒。只是一刹那的相对，他已转身："将这刀拿给老板，找他换十万银票。"

前两句话是对莺哥，后两句话是对对面的青年，"你若还想用妻子做赌注，随你，但也不能叫你吃亏，这一局，我便压上十万金铢。"

容垣语毕，连缓冲的时间都没有，碧芙楼已闹成一片。面对这建楼以来最豪的一场豪赌，大家都不想错失围观机遇。

隔得近的本来还打算闲庭信步地走过去，走到一半突然感到身边刮起一阵飓风，定睛一看原来是隔壁打麻将的小子狂奔而去，危机感顿生，骂了声娘也开始狂奔。六博棋局连同对棋的容垣和博客兄被里三层外三层围得严严实实，碧芙楼彻底乱成一团。

再也没有比混乱人群更好的掩护，我想，这正是逃走的好时机，也许容垣故意给莺哥一个机会容她离开。这简直是一定的。他本来可以直接拿那把刀赌博客兄的美人，却非要她去换什么银票，要不就是主动放水，要不就是脑子进水，真是想找点其他的理由来通融都找不到。

无论如何，莺哥把握住了这个机会。要在这样的乱世找到一人同行，是可遇不可求的一件事，也许容垣终于发现莺哥不是那个对的人，她已经过够了笼中鸟的生活，她一直想逃。一直。

二楼较一楼空旷许多，慕言找了个位子，正好可以俯视容垣和博客兄的赌局。未几，碧芙楼的老板捏了沓银票，哆嗦着分开人墙到棋桌旁，弓着腰像捧圣物一样将换来的银票捧给容垣。

容垣握着骰子的手停在半空："我夫人呢？"老板抹着额上的冷汗说不出个所以然。半晌，容垣毫无预兆地放下骰子："我输了。"棋面上黑白两子明明战得正酣，对面博客兄难以置信地瞪大眼，许久，咬牙道："阁下这是，什么意思？"

一旁的老板惊得一跳，赶紧奔过去圆场："那位公子不想赌就不赌了，您白白赢十万银票，您也是咱们楼里的常客，都是老交情了，不要让老朽难做啊。"

我想容垣说的不只是这局棋，他给她机会离开，却也希望她不要离开，就如我明知再这样跟着慕言只会越来越舍不得他，一个亡魂，纵容自己对这世间的执念越来越深，离别时会有多痛只有自己明白，就像一场无望的赌局，就像容垣此刻的心情。

围观人群做鸟兽散状，看表情也不是不遗憾，但估计已猜出容垣是某个高官，只好忍了。本以为这场赌局会演出与它赌注相匹配的精彩，想不到会是这样结束。

年轻的国君沉默坐在棋桌前，一粒白子停在指间，瞬间化作雪白齑粉，顺着手指缓缓滑落，良久，站起身来，神色平静得仿佛无事发生，仿佛今日从头到尾只他一人，心血来潮来到这个地方，心血来潮赌了半局棋，心满意足地一个人回王宫去。碧芙楼前一派繁华街景，他站在台阶上呆愣许久，背影孤单，却像从来就这样孤单，衬着繁华三千也没有产生多少违和感。

一个卖糖葫芦的从眼前走过，他叫住他，金铢已经掏出来了，却突然想起什么似的又收了回去："不买了。"

背后蓦然响起女子柔柔的笑声："为什么不买了？我想吃。"

容垣身子一僵，保持着把钱往袖子里揣的姿势半天没反应。我也半天没反应。慕言收起扇子低头看我，斟酌道："容垣他情之所至，没发现莺哥姑娘一直都站在二楼就算了，不要告诉我你也没发现。她甚至……就站在你旁边。"

我着实没有发现。

他轻笑一声，哗啦打开扇子："果然。"

我被他嘲笑的模样激怒："我……我也情之所至啊。"

慕言："……"

我是说真的，可他不相信，以为我在强辩，看着容垣，就好像看到我自己，他永远不会明白，其实也不需要他明白。我安慰自己，阿蓁，不要难过，他不明白是好事，这世间有不可废的方圆规矩，活人有活人的世界，死者有死者的，能够多看他两眼就很好了，贪求太多不是好事。

一身紫缎披风的莺哥就站在容垣身后五步，一回头就能看到的距离，他却迟迟没有回头。像蓦然从繁华街市劈出来这一方天地，来往行人皆是背景，时光都悄然停止。还是卖糖葫芦的小哥率先打破难言静寂，看看莺哥又看看容垣："公子是要啊还是不要啊？"

莺哥上前两步挑了串最大的："要，怎么不要。"小哥挠挠头："那是谁付钱啊？"

漆黑的眸子漾起一层涟漪，波光粼粼看向一旁的容垣："愣着做什么，付钱啊。"她眼中有万般光彩，像她十五六岁最好的年华，手中还未沾上人命，本就是顶尖的美人坯子，特别是那双眼睛，一颦一笑都是风情。

小哥得了赏钱，蹦蹦跳跳跑出我们的视线。北风渐起，容垣终于回过头，没什么表情的英俊的脸，抬手帮她拢起耳旁两丝乱发，动作一丝不苟，半点失态都无："去哪儿了？"我想这家伙真是太能装了。

莺哥眼里噙着笑："人太多，懒得挤进去，就在楼上看。为什么半途认输，输那么多钱，还不如赏给我。"

容垣耳根处泛出一丝红意，却仍绷着脸："不想赌就不赌了，倒是你，要那么多钱是要做什么，宫里的月钱不够用吗？"

她看他一眼，往右旁无人的巷子里走去，语声里带了难得的恼意："原来陛下也知道今日所输是个大数目，寻常人家里，丈夫输了钱，妻子唠叨两句再平常不过，"回头瞪他一眼，"何况你还输了这么多。"

容垣耳根处红意更盛，脸也绷得更加冷："那你是想我赢了，把那人的妻子领回宫中与你姐妹相称？"

我无声地伸手抚额，这家伙还能更装一点吗，明明心情激动得耳根都红了。而且可以看出这是个一激动就乱说话的人，这句话明显说得不合时宜。

莺哥神色果然冷下去，淡淡地说："陛下若有这个意思，便是她的福分……"

话未毕却被容垣逼到墙角。有日光洒下来，被风吹得破碎，他皱眉抬起她的头："那你呢，到我身边来，你可觉得是福分？"

她看着他，似想在眼角牵出一个笑，像她时常做的那样，一半真心一半假意，无懈可击。他的唇却及时吻上她欲笑的双眼："你可知道，君王之爱是什么？"

她没半分犹豫："雨露均洒，泽被苍生。"

他放开她的双眼，看着她强作镇定却不能不嫣红的双颊，手抚上她的鬓发："我和他们不一样。"

我不知莺哥是否爱上容垣，只知道这样大好的一个逃跑机会，容垣默许的一个逃跑机会，她自己放弃了。

冬日天高风急，四方城如一只巨大的兽，蛰伏于郑国最肥沃的一方土地。

年末正好有几天宜婚嫁的好日子，老丞相嫁女，虎贲将军续弦，少府卿纳第九房妾侍，诸多好事都撞到一起，连同廷尉大人娶妻。这件事简直没有悬念，容浔娶妻，要娶的自然是花大力气保下的锦雀。

当然，此时锦雀不是锦雀，是莺哥，十三月，本来身份够不上做容浔的正室，但政府系统的皆知十三月有个妹妹，不久前入了郑宫封了如夫人。

四方城内喜气洋洋，在这个笑贫不笑娼的年代，只要身份对等，其他所有问题好像都不是问题。至少除了我以外，还真是没看出有谁在纠结容垣和容浔是亲叔侄、莺哥和锦雀是亲姐妹、以后彼此见面大家将如何打招呼这个问题。

妹妹出嫁，虽然只是从廷尉府的清池居嫁到廷尉府的清影居，姐姐也该前去观礼。因是亲上加亲的一门亲事，不仅莺哥去，容垣也去。

厅堂高阔，处处贴了大红喜字。容浔一身喜服，修眉凤目，芝兰玉树般侍立于高位之侧，敬等容垣入座。

朝臣跪于厅道两旁，容垣一身宝蓝朝服，目光在容浔脸上顿了顿，携着莺哥坐上空待已久的尊位，落座时淡淡道："成婚后也让十三月常入宫陪锦雀说说话，她一个人在宫里，难免发闷。"

容浔抬头，目光对上莺哥端严的妆容，愣了愣。不知此刻他心中作何感想，也许根本没有感想，就像重新面对从前抛弃的一只猫狗。这是莺哥入宫后两人初次重逢，却在这样的地方，这样的时候。

她十指纤纤接过侍女递过的茶盏，微微翻开的掌心里，再看不到一个刀茧，垂头吹起浮于水上的茶末，声音放得柔柔的："曦和成天在跟前晃悠，哪里会闷。"

容垣微微侧目："口是心非。"

施了胭脂的脸颊浮上一层恼意，被杯子挡住一半，眸子眄过去，狠狠瞪他一眼。

两步开外的容浔狭长眼眸闪过难辨神色，细看时，已微微垂了头。不知那难辨的是什么，若不是我观察入微也发现不了。

在场各位没谁觉得不妥，可能都没有看到，总不能要求大家都像我一样眼睛瞪得老大，一动不动研究容浔面部表情，虽然大多数姑娘都想这么做，能做得出这种事的还真没有几个。容浔似乎是天生偏爱紫色，其实他更衬这种比血还艳上几分的大红。

锦雀尚未进容家的门，这个人却已做得好似真正的一家人，再抬头时神情一如最初，看起来专注，背后暗含多少冷漠疏离。他望住她，缓缓地说："前几日月娘大病了一场，是以未去宫中探望夫人，离吉时还早，夫人若无事，可去清池居，同月娘她说些体己话。"

她从容放下茶盏，目光扫过他的大红喜服，展颜一笑，已不是过去任他几句话就能伤得体无完肤："陛下今日有些伤寒，旁人拿捏不住准头，还是我在一旁随侍着才放心。过几日除夕家宴，自有说体己话的时候。"

他眼中亮起一丝寒芒，唇角却牵出诚恳的笑："也好。"

一旁的容垣微微皱眉，将茶盏推给莺哥："让他们换一杯，烫。"

做国君的不易，不易在既不能让手下没有想法，也不能让手下太有想法，前者是庸君，后者是昏君，最后都是被篡位的命。

除此之外，稍微有点智商的国君，还要忍受底下人对自己的全面剖析，连今晚睡哪个女人都够手下和手下的手下们分析半天，搞不好你睡都睡完了，他们还没分析完，这一点也挺讨厌。

前面特地提到容浔娶妻这一日是个大吉日，虎贲将军也娶，少府卿也娶，为了不让底下人想太多，容垣既来捧了容浔的场子，就不能不再去捧捧虎贲将军的，捧捧少府卿的。莺哥倒是不用去，被留在廷尉府主持大局，即便想早点抽身也是不能的，这行为已从普通的社会行为上升为政治行为，稍不留神就能捅出娄子，保守做法是忍了。

就像十六岁那年唐国二公子前来求婚，想不到是个恋童癖，看他对着我五岁的画像口水滴答的模样，虽然很想踩他两脚再使劲蹀两下，但考虑到邦交问题，我默默地忍了。

照锦雀不管不顾的性子，本以为婚事中途会变得难搞，比如喜堂上她突然一把扯掉盖头扑上去抱住莺哥的腿痛哭什么的，出乎意料的是，什么都没有发生。

托了吉日的福，一切都很顺利，新郎风流俊朗，新娘柔婉恬静，一对新人两只手在莺哥面前紧紧交握，一拜天地二拜高堂夫妻对拜，唢呐声声。

座上的郑侯夫人将笑意敛在眼底，在朝臣们偶尔响起的恭贺声中微微绽开，像一朵饮足阳光的冬日葵，你猜不出什么时候是真正的盛开，什么时候不是，就像她十一岁之后在刀锋血雨里渐渐学会的，一半真心一半假意。容浔的目光牢牢定在这张妆容端严的面庞上，似乎想看出点什么。我循着他的目光望过去，看到的和旁人所见也没什么不同。

只要不出廷尉府，要找到独处机会就没有难度。远方重云朵朵，化作细雪飘落大地，擦过枯木古藤，发出簌簌清响，林中白梅盛开，一团一团挤在枝头，寒风里瑟瑟发抖。

莺哥一身紫衣，婷婷立在白梅下，泼墨青丝长可及地，额间碧玉沾了细雪，微抿住唇角回头，连我这种见惯美人的都有点把持不住，急忙看向慕言，盯了他半盏茶，想看出有没有什么迷恋神色，但有点不好判断。脚步声渐行渐近，空旷梅林里莺哥的声音缓缓响起："大人邀锦雀来此，不知何故？"

脚步声停下，大红喜服的男子撑了把素色的油纸伞，定定立在簌簌飘落的细雪中："莺哥……"

紫衣女子浓丽眉目间酝出疑惑神色："大人……可是认错人了？"

唇间抿出一丝笑来，固执道："锦雀，锦绣良缘的锦，杨雀衔环的雀，郑侯的第九位如夫人。大人口中的莺哥，死在四月前，生在四月前。我不是莺哥，大人今日娶的姑娘，才叫莺哥。"

远方山岚寂静，细雪飒飒，他站在她身前五步，唇动了动，却未说话，良久，从怀中取出一只奇形怪状的瓷杯，杯上的白釉上得莹润剔透，沿着杯壁却裂开好几道纹路，看得出来是打碎后重新修补的。

他看着她，眸色深沉，似一摊化不开的浓墨："我在清池居看到这个，听说，是你要送给我的礼物？"

她伸手取过："哦？让我看看。"手一松，杯子啪的一声跌落在地，正掉在脚下一块方石上，摔得一塌糊涂。

他看着她："你恨我。"

她不顾君王夫人的仪态，蹲下身研究这一地碎片，半晌，突兀地笑了一声："这杯子，我从赵国百里加急带回来，想送给你，就怕赶不上你的生辰，原本手上有道伤，大夫让先好好治，治好再回去也不迟。怎么会不迟，那时可真傻，想着你一年只有这么一个生辰，没想到我回去得那么早，还是迟了。我将你看得太高，高得一定要好好珍重仔细对待，其实，你根本就不需要我珍重爱惜，在你眼中，我只是个工具啊。"

她抬手抚上湿润鬓发，笑意半真半假，"我信守承诺为你完成了这最后的一件事，让你今日能如愿娶到锦雀，我不欠你了。执念太深就易伤。你说，是不是？"

素色油纸伞微微颤抖，梅林静寂空旷，只能听到细雪敲打伞面，像谁光着脚踩在秋日的枯叶上。他伸出手想将她拉起来，她却自己站起。

他的声音在伞下低低响起："是我负了你。"

她点头："是你负了我。你和锦雀，你们负了我。"

油纸伞滑落在地，他没有弯腰拾起，眼底浮出柔软情愫。我想我不会看错，但愿我没有看错，那样的神色，就像她十五岁那个黎明，在那片摇曳的竹林里他陪着她练刀，那时她还是个孩子，惧怕打雷，会晕血，他常含笑看她，脸上是真心的温柔。

"我负了你，恨着我，也是好的。"

有些女人向往嫁杀手为妻，因想法浪漫不着边际，自以为杀手好酷，嫁给杀手也好酷，嫁过去才发现好残酷。

打死一个杀手容易，打动一个杀手太难。他们的人生是在悬崖上走钢丝，危机感强烈安全感没有，对外界的态度也基本朝抗拒发展，偶尔还会反社会。

我知道怎样让一个杀手动容，就是把你的命给她。这结论绝对有强大的逻辑基础，你想，这些人看惯生死沉浮，最能了解面对死亡时人性的自私怯懦。只要有命在，什么都不重要了，哪怕是个抠门抠得不行的守财奴，你问他要钱还是要命，他也是回答能不能又要钱又要命，不会说我要钱我只要钱，你一刀杀了我吧。因为懂得，所以爱好。

办事情就要投其所好，倘若你能把命都给她，不要说一个杀手、一个刺客，就算是个刺身它都能顷刻感动成绕指柔。我不知容垣是否明白，但不管明不明白，当除夕那夜王宫里一头巨大的成年雪豹发狂冲向莺哥时，他不是率先闪到一边，而是迎着雪豹，将正要作出反应的莺哥一把拉过去护在了身后。

容垣的刀术大郑第一，民间形容郑侯刀法之快如风驰电掣，根本看不清招式，寒光一闪刀已回鞘，被砍的人至少要等他转身离开才反应过来自己是被砍了……按理说这样快的刀法，斩杀一两头雪豹不在话下，尴尬就尴尬在此时除夕家宴，容垣并未佩刀，身体的反应再敏捷，怀中抱了一个人，就大大降低了闪躲速度。

原本雪豹捕猎的动作就很迅猛，发狂之后更是将这种迅猛发挥到极致，扬起的利爪狠狠擦过容垣毫无防备的左肩。在席的七位夫人同声尖叫，与此同时，趁着雪豹爪子往回收那微微一顿，冲上来的侍卫终于将刀子顺利刺中这畜生的后膛。雪豹痛得哀叫一声，扑上去一口咬掉那侍卫的半只胳膊。所幸其他的侍卫反应不差，眨眼已严严实实排成一堵人墙，护在受伤的容垣身后。可哪晓得雪豹中刀后愈加狂性大发，迎上去的侍卫或死或伤转瞬就倒下好几个。

莺哥脸色发白，劈手抢过近旁侍卫的手中钢刀。容垣皱紧眉头，侧身以巧力夺过她才到手不久的长刀，反手将她一把推到赶来帮忙的容浔怀中。

宫灯十里，繁花万重，冬日里难得的佳景，却在顷刻间将灯染了剑影、花惹了血腥。年轻的郑侯在泠泠月色下从容持刀，身法快似陨星坠落，刀光所过处扬起喷薄血雾，奋力挣扎的雪豹轰然倒塌，头颅似一颗断离枝头的绣球花，落地时还滚了几滚。

庭中一时寂静，莺哥的唇颤了颤，一把推开容浔，拖着繁复长裙三步并作两步踉跄至提刀的容垣身侧，手伸出来要抚上他受伤的肩背，却像受了极大惊吓。乌黑血迹漫过月白常服，他神色如常，微微皱眉看着她，不悦道："刀抢得那么快做什么。"顿了顿，"这种时候，你只需要站在我身后就可以了。"

她却不能言语，脸色愈加苍白，唇颤得厉害，紧紧抱住他的手臂，仿佛他的一切坚强模样都是逞强，下一刻就要倒下离她而去。

"毒，那雪豹的爪子，有毒。"

事实证明容垣果然是逞强，且将这股意志彻头彻尾贯彻下去，直到老医匆匆赶来才露出马脚，昏倒那一刻被莺哥紧紧扣住十指，长刀落地。她扶着他滑倒的身子跪在赤红的雪地里，神色茫然地望着他肩部越染越厚的血渍，望着他紧闭的双眼和渐呈青灰的面色，紫白的嘴唇哆嗦着凑过去，贴住他一激动就泛红的耳尖，轻轻地说："你死了，我就来陪你。"

近旁容浔猛地抬头，目光和紧紧搂住容垣的莺哥相对，顺着那个视角看过去，紫衣女子杏子般的眼睛里一片漆黑，月光照进去，一丝亮色也无。

容垣的确中了毒，虽然我相信有很多人希望他就此一死了之，但毕竟不是什么见血封喉的剧毒，即使规格比耗子药要高出很多，在抢救及时的情况下，也不能发挥出比毒死一只耗子更大的功效。

莺哥在清凉殿不眠不休守了三夜，容垣终于醒来，尽管脸色还是虚弱的苍白，漆黑的眸子里却透出异样神采。他披衣靠在床沿，定定看着端了药汤的莺哥："那时候，你说的什么？"

她低头端起药碗小心抿一口，勺子送到他嘴边，"先喝药，不烫了。"

他垂眼："不喝。"

她面上浮起一层恼意，勺子送也不是不送也不是，默默看他半天，慢吞吞从袖子里取出一枚骰子："喏，这个，给你。"

他看她一眼，举起骰子在灯下细细端详："玲珑骰子安红豆……"良久，收起骰子，一贯冷淡的眉眼暗含笑意："你送我骰子做什么？"

她抬头狠狠瞪他一眼："你不知道？"

他从容摇头："我不知道。"

她扑上去捏住他的脸，鼻尖抵着鼻尖："你不知道？"

他握住她的手，抬头看她："还没人敢对我这样，这可是欺君，等我好起来……"

她偏头笑着看他，颊边泛起红云，像千万朵凋零的春花重回枝头："等你好起来，要怎么？"

他没说话，静静地看着她。

她滑下去伏在他膝头，安心似的叹息："我等你好起来，快点好起来。"

玲珑骰子安红豆，相思红豆，入骨相思君知否。

而后一切，正如慕言所说，莺哥与容垣相守三年，宠冠郑宫，更在第二年春时被封为正夫人。我不知这世间是否有真情永恒，或许正如慕言所说，一段情，只有在它最美丽时摧毁才能永恒，如那时的沈岸和宋凝。

郑史未曾记载的那一页，是大郑宫里尘封的秘密。容垣昭告天下紫月夫人病逝，从知晓莺哥身份那一刻，我们就知道另有隐情，却没想到隐情只是一个国君的自尊。

景侯十年，莺哥入宫时李代桃僵之事被揭穿，容垣震怒。莺哥被罚在庭华山思过十年，十年不得下山。

庭华山挨着赵郑接壤处，位于重山密林，是郑国圣山。传说因是王室崇奉的一位女神所化，男子不得攀爬，即便是女子，也必得经王室许可，违者族诛。

这一年，莺哥二十三岁，她骗他三年，他便将她仅剩的十年青春埋葬在这座与世隔绝的深山。侍卫们将她从溶月宫中绑出来，她想再见他一面也是不能的。

被困在庭华山的前两个月，她日日想的都是如何破掉山中的阵法下山，终于遍体鳞伤地闯出那片山林，日夜兼程赶赴王宫，听到的却是自己病逝的消息，以及他的第六位夫人——如夫人红珠有孕了。

她身上带伤，耽误行程，才走到一半就被赶来的侍卫拦住。街市

荒凉，天上一钩新月、几颗残星，本该远在千里的容垣抬手掀起轿帘，月光照下来，现出隐含风雪的一张脸。

刀尖点地，她一步一步走到他面前，像风中飘零的落花，身后一串长长血印。她抬头看他，眼中一层细密的水雾，嗓音哑哑地说："那时候你告诉我，你和他们不一样，你忘记了吗？"

他将她的手拿开，她急切地握住他的袖子："还有我送给你的骰子，你不是日日带在身边吗，你……"

他打断她的话，从袖子里取出一枚象牙制的骨骰，指腹微一用力，雪白粉末如沙一般滑落："你说的，是这个？"

她难以置信地望向他，眼中水雾愈盛，却在汇成珠子前硬逼回去，嘴唇动了动，良久，才发出声音："其实，你早就知道我不是锦雀了对不对？找到这样的理由囚禁我，"突兀地笑了一声，"是厌倦我了对不对？"

她抬手蒙上自己的双眼，像是不在乎地懊恼，双颊却逸出泪痕："我怎么就相信你了呢，你们这样的贵族，哪里能懂得人心的可贵。"

四下无声，她慢吞吞放下手，连鼻头都泛红，眼角还是湿润，眼睛却执拗地睁得大大地说："听说红珠夫人有孕了，恭喜。"骨骰毁掉的细粉被风吹得扬起来，在暗夜里织出一条薄纱。容垣的手一顿，抬头看着她，深如古潭的一双眸子悠悠的，如暮春天际寒星。

两人情谊还在的时候，容垣常指点莺哥刀法，姐姐曾是容浔的护卫，妹妹会刀术也没什么奇怪，但指点归指点，从未真正和莺哥打一场。唯一的这一场却是决裂之后的这个夜晚。千万朵樱花散落在他凌然刀光下，随风飘飞，他将她反剪了双手推给侍卫们："未将夫人顺利送到，便提头来见孤。"

那是他们最后一次相见。

庭华山终年寂静，哪怕人间处处烽烟，唯有此处被世人遗忘。春时莺啼婉转，夏日绿树成荫，秋时红叶依依，冬日细雪不止。莺哥再未主动提及容垣，也没再尝试破阵出山。三年间郑国可谓风云变幻，却没有一丝消息传入山中。

三年后，照看莺哥的老嬷嬷病重将逝，病榻前握住莺哥的手，浑浊双眼流下两行清泪："陛下命老婢照看夫人十年，如今，老婢却是要负陛下嘱托了。夫人对陛下有怨，可两年前陛下便病逝归天，对已死之人，什么样的恨都该化为尘土了。陛下，陛下望夫人能好好活下去，这番话本应十年后再转告夫人，老婢命薄，陪不了夫人那么久了。夫人思过三年，其实本无过错，但这三年千日，世间万般，夫人该是都看开了吧？"

夜风过窗吹熄灯烛，半晌，莺哥的声音空荡荡响起，散在风里："你刚才，说的什么？容垣他，怎么了？"

事实证明莺哥并没有看开，若是看开就该常伴青灯终老庭华山，而不是奋力破阵誓为当年事追个结局。可见这个老嬷嬷并不了解她，她一生都活得清醒，习惯这样的活法，不知道糊涂是福，人不该和自己较劲。

可出山也没有盘缠，从没听说过谁思过还带着一大堆金银财宝，即便是那些锦衣华服玉饰金钗，是容垣送的，也不能拿出去随便当了，只好重操旧业，一边杀人赚盘缠一边寻找容垣。

这世间有多少人有杀人的心却无杀人的本事，好在有的是钱。我同莺哥第一次见面，她说她不相信容垣已经死了，看来是真的不想相信。

这就是她的梦，梦到此处又重头来过，将所有过往再次回放，沉在这样的虚幻中不能自拔，反反复复没有止境。我终于明白她想要什么，她想要容垣，即便他将她锁在深山，她还是想要他。

若他没死，于她而言不过是一个负心人，三年、五年、七年，总有一天能够忘怀，可人人都说他死了，留下一团又一团迷雾，而在死亡之后，最后的决裂化作梦幻泡影，连那些刻意说来让彼此难受的狠心话都失了怨毒带了哀伤。就像回忆一棵被砍伐的树，只记得它黄叶满枝的璀璨胜景，拒绝想起冬日里枯萎的颓败模样。

可越是害怕越不能害怕，因身后再没有一个人能握住自己的手。她说她不相信他死了，说得削金断玉斩钉截铁，心中却在恐惧挣扎，这就是日有所思夜有所梦。梦是人心欲望，人在脆弱时，最难敌的就是心中欲望，她迟迟不能醒过来，因敌人不是别人，是她自己。

慕言有一搭没一搭地敲着扇子："如何带她出去，可想出法子了？"

他问得正是时候，我刚要发表想法，半空突然传来滚滚惊雷，像是九天之上天河泛滥，转眼便落起倾盆大雨。雨水循着雷声间隙劈开浓密云层倾泻直下，破天的水幕层层笼住夜幕里的四方城。

远方传来不知名咆哮，紧闭的城门豁然大开，比城门还高的巨浪迎着城墙径直扑进来，像一头猛兽，贪心地张开血盆大口。还以为这次这个梦会比较平和，没想到危险的一刻还是来临。洪水对我无用，我又不用呼吸，只要胸中鲛珠不受损就没问题，可慕言不一样，他是个活人。我脑中一片空白，洪水来势如此凶猛，容不得人作出反应，齐头的浪花就打过来。

为什么要将他带入莺哥的梦境，若他果真死了……混浊水浪瞬间淹没头顶，我想紧紧抱住他，可什么都看不到。身子被往后一拖，一口水乘机扑进喉咙，鲛珠在胸膛里怦怦直跳，就像一颗真正的心脏，活的心脏。我想，这一定是慕言，除了他再没别的可能，伸手想攀住他，手伸出去时被紧紧握住，脸颊贴到什么温软物什，伸出还空着的那只手抚摸，摸到水中他高挺鼻梁柔软嘴唇。这的确是他，他在我身边。

慕言会水，即便带着我这个拖油瓶，凫水也凫得很好。可巨浪一层一层打过来，最好的水手也吃不消，何况他只是个业余的。

这无声的世界里，渐渐适应也勉强能视物，久久不能换气，想必给慕言造成巨大负担。我伸手捧住他的脸，隔着水幕也能看到他瞬间诧异的神色，这是我一直想描绘的眉眼，一直想亲上去的双唇。

嘴唇印上去时不知他如何表情，隔得那样近又怎能看清表情。我是要在水中为他渡气，却不知该如何撬开他的牙关，这些事情师父没有教过我，君玮那些小说里也从没有写过，能够使用的只有舌头，但要一边贴住他嘴唇防止河水呛进去，一边用舌头顶开他的牙齿就有点困难。

我们保持嘴唇贴合的姿势，漂泊的水浪晃得人一阵一阵恍惚，他一手揽住我的腰，身体贴得更近，微微松开齿关，这正是好机会。我紧紧抓住他的肩膀，将嘴唇贴得更紧，胸中生气顺着紧贴的双唇逸到他口中。他的双眼蓦然睁大，这样多的生气其实已经足够，可我舍不得离开，以后再没有这样的机会。

水里其实也有好处，大家都屏住呼吸，隔得这样近相互亲吻，他也不会发现我是个死人。虽然其实这根本就不是个吻，但我可以假装它是。

我爱上的这个人着实强大，但在这样的时刻也需要我来保护，我会将他保护得好好的，不受半点伤害，尽管他陷入此种险境也是我害的……

水势渐渐小下去时我们抓到一块浮木，慕言将我抱上去，放眼四望，真是一片梦里水乡。这样也不是办法，根本看不到莺哥在哪里，即使想出带她出梦的法子也无法实施。

转念一想，这是她的梦，梦中一切都是她潜意识里创造的，她是这梦里的一切，就如同我所创造的华胥之境，虽然看不见，但处处都该有她的意识……我想我终于明白，垂头看向浮木下的洪水，说出早该说出的话："容垣没有死，他在等你，我知道他在哪里，你要不要同我一起去？"

飘泼落雨蓦然停止，我指着前方的一团光，正是从这梦境中走出的结梦梁，缓缓道："从那里出去，你能找到他。"

医馆中，莺哥终于模糊醒来，却神情恍惚，看了我们两眼，一句话也没说。她不会记得梦中发生了什么。因我和慕言一身湿衣，得先回房换套衣服，只得将老大夫从床上拉起来先行照看。东方微熹，隔着庭院四围的矮篱笆，可看到远方千里稻花。慕言笑了一声："什么从那里出去你就能找到他，我还以为你从不说谎从不骗人。"

我小声争辩："这又不是骗人，若是在梦中，穷尽一生她也不能找到他，在现实里，不管容垣是死是活，总有一天她能弄个明白。她活得清醒，不善自欺，也不愿别的什么来欺骗自己，哪怕只是个梦境。"

他打断我："那你呢？"

我摇摇头往前走："我从不做梦。"死人是不会做梦的，我连睡觉都不用，还做什么梦。

他顿了顿，没再继续那个话题，却换了个更要命的："方才在水中，你是在做什么？"

我顿时头皮发麻，转头强装镇定看着他："帮你渡气，你看，既然我会华胥引，总还是应该有这么一些别的异能……"

他含笑看我，却没再说别的什么，只是点点头："去换衣服吧。"

第六章

莺哥不告而别。尽管医馆里的老大夫表现得很惊讶，但这事其实在意料之中。两天前方能下地时她便急着离开，只是身体比较虚弱，还没走到院门口就被风给吹倒了。

看着莺哥跟跄倒下时我就想，她只会休养到有足够的力气走出医馆大门，再不会多待一天。她想找到那个答案，一刻也等不得。果然，不到两天，她便留下药钱独自上路了。

我拿不准是否还要继续跟着莺哥，因真假月夫人之事已差不多解开，除了容垣到底死没死以外，着实没有其他疑惑，可若是这桩事就这样结束，大约也意味着我同慕言的分别之期就快到来。

我不知道该怎样来挽回，我想同他待得更长久一些，或许他会不放心我一个小姑娘独自行路，会至少陪着我一起找到小黄和君玮？如果是这样的话，那要不要给君玮写封信，让他有多远躲多远，一辈子都不要被我们找到呢？

无论如何，还是打算先去探一下慕言的口风。

一路分花拂柳，可慕言不在房中，才想起半个时辰前看到有只通体雪白的传信鸽落在他窗前，料想应是出门会客了。我一边往外走一边忍不住琢磨，十三月这事，倘若容垣的确死了，那如传闻所说是病逝的概率会有多高？

历史上有太多这样的传说，好像花花世上只能有一种死法，但王宫这地方集结了全国最好的医师，能自然地因病而死着实难能可贵。若果真如慕言所说，平侯容浔即位是逼宫逼到手的而非景侯主动让贤，那半年后景侯的病逝说不定也大有文章。

我想起来，前朝宗室微弱，国祚不昌，诸侯并立，晋西国公子相宜木弑兄弑父而承爵位，为齐侯揭露，会盟天下诸侯共伐晋西。不出两月，晋西大败，国土四分五裂，最大的一块并入了齐国。

若我是男子，会这样能打探旁人私隐的华胥引，卫国又还没有灭亡，说不定也能在这片广袤大陆上重现晋西之祸，说不定卫国不会亡，还能福祚绵延个几年。

曾经我想力挽狂澜，没有碰到对的时间。这挥之不去的想法让我有点惶惑，终于明白为什么以生者之躯修习华胥引的前辈们没一个得到好下场的。这秘术本身就是一种贪欲，最能迷惑人心，初始便埋下贪婪之花的种子，若学不会克制，终有一日会被心中开出的巨大花盏淹没。

就算我是个死人，都控制不住幻想着拥有它，我其实可以得到什么，可归根结底，如今回头看郑国那场宫变，真相除了对还屹立在这块风雨飘摇的大陆上的诸侯国有价值，和我又有什么关系呢。

步出医馆，可见远山层叠，其实不晓得该上哪儿去找慕言，茫然片刻，决定沿街溜达。没有小黄作陪，略感寂寞，但如果有小黄作陪，那找到慕言它岂不是要妨碍我们独处，想想算了。

远方有暮云合璧，落日熔金，风里传来渔舟唱晚，小城一派宁静。走走停停，逛进一家古玩斋。我对所谓古玩其实不存在太大感情，应该说是对一切作古的东西都不存在感情。可此时眼睛瞟过一处，双腿却再不能动弹，那是一支通体莹润的、在微暗的暮色中仿佛发着光的、精致的透雕白玉簪。

站在柜台前呆看半晌，觉得这样不过瘾，摇醒一旁打瞌睡的老掌柜，把簪子取出来，放在手心里又呆看半晌。

老掌柜笑眯眯地："这簪子有两百年历史了，上好的玉，上好的雕工，昨日才收进来，姑娘一眼相中它也是缘分了。若真喜欢，三百金铢，老朽为姑娘包起来。"

我倒抽一口气，半天都没有缓过来，不要说三百金铢，就算他说只要一个铜锱我也买不起。可这簪子是这样适合慕言，让人爱不释手。

和慕言分离已经是注定的一件事，而再相逢却遥遥无期。前二十年他已经遇到许多姑娘，可我没有赶上，后二十年，再后来的二十年，他还会遇到多少姑娘，光是想想都想不下去，我也不过是他所遇到的众多姑娘之一罢了，总有一天他会将我忘记，还不会主动再想起。

我将头埋在手心里，良久，抬头问一脸担忧的老掌柜："我可以用什么东西来换你的这支簪子吗？"

他表情疑惑，答非所问道："这簪子同姑娘有渊源？"

我摇摇头："没渊源，只是我想得到它，把它送给，送给一个朋友，但又没钱。我想也许他也会喜欢这支簪子，会一辈子……"说到这里呆了呆，觉得慕言应该不会一辈子用同一根簪子，很不情愿地改口，"反正他戴着它的时候，应该就会记得我吧。"

老掌柜瞧了我许久："那姑娘打算用什么来换这支簪子呢？"

我想了想："你们这里收老虎不？四条腿，活的。"

"……"

最后我用一幅画买下了这支白玉簪。老掌柜还倒给了一百金铢，收画时笑道："若不是知道不可能，老朽几乎要以为姑娘这画是文昌公主的真迹了。"

我愣了愣："你真博学啊。不过，若是真迹，你看能值多少？"老掌柜摸着胡子继续笑眯眯："不下万金。"我克制住了自己冲到对面博古架再搬几件古玩的冲动。但再想想，如今世间除了我以外，还有谁知道面前这幅隋远城的山水价值万金，而若我果真还活着，那画又怎能值得万金。叶蓁死了，叶蓁的画笔便也死了，即使我还在画，画出来的也不过是赝品罢了。

走出古玩斋时，街上已是万家灯火。碰到出门买酒的医馆老大夫，从他处得知慕言进了谪仙楼。我以为是座酒楼，想正巧赶上晚饭，揣着簪子乐颠颠一路打听过去，走到门口，才发现是座青楼。

一时不知作何感想，毕竟从来没想过慕言会逛青楼，但总算比较镇定。通过贿赂来到高台上一处凉亭，看到一张七弦琴后坐了个姿容清丽的姑娘，而慕言正颇有闲情逸致地摆弄一套木鱼石的茶具。

亭子正中放了只小巧的红泥炉，炉子里炭火微蓝，想来燃的应是橄榄炭。我想到了一个名字，觉得脸色一定立刻白了下去，秦紫烟。想到这里，原本兴师问罪的愤然顷刻烟消云散，若那女子果真是秦紫烟，我这时候过去能干什么呢？想象我一过去，慕言就非要跟我介绍她："这是紫烟，来年我们便要成婚，届时请你吃酒。"我能想出的最克制的反应是冲过去掐死他，和他同归于尽。抬脚准备沿路返回，抬头却发现亭中两人的目光齐齐聚在我身上，这是谪仙楼后院独出的一座高台，也就是说，四周没有任何可隐蔽之处。

我抬头瞪了慕言一眼，还是准备沿路返回。刚走出两步，听到他声音在背后慢悠悠响起："连星姑娘烘焙的新茶，我正说煮一壶，既然来了，喝一杯再回去。"

我不晓得该不该过去，半天，还是磨磨蹭蹭走了过去，找了个离他们最远的位置坐下来。慕言看我一眼，低头继续专注于手中茶具，他摆弄什么都很有一套。

此刻暮色苍茫，凉亭的四个翘角各挂一只灯笼，前方谪仙楼里荡起轻浮歌声，有实在的金银，就能有实在的享乐，这真是世间最简单的一个地方。

但还有一个问题亟待解决，我偏头问坐在瑶琴背后的姑娘："你真叫连星？"

姑娘没开口，接话的是慕言："连星姑娘前日方从赵都黔城来隋远，要在这儿逗留两个月，拜在花魁梨云娘门下习舞。"

我瞟他一眼："你们以前认识？"

他正提壶以第一泡茶水涮洗茶具，挨个儿点过盖碗、茶海、闻香杯、茶杯，手法漂亮，如行云流水："不认识，怎么？"

我绷紧脸："撒谎！"

他总算抬头："哦？我怎么撒谎了？"

我盯着他的脸，觉得这张脸着实好看，可怎么能骗人呢，"你说她才来了两天，你也是第一次来隋远城，怎么就和她一起了？"

坐在近旁的连星似笑非笑开口："奴家从前确未见过慕公子，今日能同公子一叙，也不过缘分所致，和公子很有些，"说着笑睇了慕言一眼，"投缘罢了。"

慕言赞同地点了点头："就是这样。"说完仍在那儿洗他的茶具，洗完突然想起似的问，"吃过晚饭没有？"

有五个字可以形容此刻感觉，我要气死了。

他笑笑，转头吩咐那个连星："拿些吃的过来，看来她是肚子饿了。"

我磨磨牙齿，起身就走："你才饿了，你们全家都饿了。"

结果起得太猛，不小心踩到裙角，差点摔在泥炉子上，被他一把撑住："这又是要干什么？"

我抿住嘴唇，把眼泪逼回去："去散步！"

他将我放好："吃了晚饭再去。"

我推开他："不行，我习惯要吃晚饭前散步的。"

他皱眉："什么时候开始有这个习惯的？我怎么不知道？"

我咬咬牙："今天开始有的。"

"……"

走过老远，背后传来连星的轻笑："小姑娘好像气得不轻。"都怪我耳力太好，但同时又很想听听慕言的反应，竖起耳朵，只听到轻飘飘一句"随她"眼泪立刻就冒出来，我想，妈的，这个人他太讨厌了。

夜空亮起繁星，像开在漆黑天幕的花盏。我蹲在医馆后一个茅草亭中思考一些人生大事，湖风拂过，觉得有点冷，将手往袖子里缩了缩。

所谓知易行难，真是亘古不变的道理，好比我一直希望自己看开，而且不断暗示自己其实已经看开，事到临头发现看开看不开只在一念之间，而这一念实在变化多端。仰头望无边星空，仿佛能看到黑色流云，我叹了口气。

叹到一半，背后传来脚步声，不用回头也知道是慕言。我赶紧闭口，假装没有发现他，也绝不开口理他。他笑了一声，自顾自在我身旁坐下来："方才得了个有趣的消息，想不想听？"

我将头偏向一边："不想听。"

他把一个食盒放下来："我还以为你会有兴趣，"顿了顿，"是关于景侯容垣的。"

我将头偏回来："哦，那就姑且听听吧。"

我以为会听到容垣的下落，但只是有点吃惊地得知容垣抱恙禅位后，身边竟一直秘密地跟着药圣百里越。慕言握着扇子饶有兴味："百里越是最后留在景侯身边的人，容垣是生是死，东山行宫里那场大火又是怎么回事，想必问问他就能晓得了。"

一些东西蓦然飘过脑际，我灵机一动道："莫非莺哥来隋远城就是为了找百里越？百里越他，人在此处？"虽然知道君师父和百里越有交情，但也听说这位药圣向来行踪不定，倒是会找好地方避世隐居。

慕言含笑点头："猜得不错，不只如此，平侯容浔之所以出现在我们坐的那艘船上，应该也是为了来隋远城寻找百里越。"

我有点惊讶："他找百里越做什么？难道景侯果真没死，连他也不知容垣下落？"

慕言意味深长看了我一眼："这倒没有听说，据我打探到的消息，说的是平侯宫中那位备受宠爱的月夫人莫名卒了。下葬之时平侯听信巫祝之言，说月夫人寿数未尽，还有救，于是遍天下地寻找名医，十几日前，打探到百里越隐在隋远城。"

我忍不住冷笑了一声："他倒是有心，以王侯之尊亲自来求医，对锦雀倒是满满当当的情意。"话落地突然反应过来这个态度简直就像在心平气和同慕言谈心，赶紧抿住嘴唇，我还在生气，和他谈什么心，不管他说什么，就都没再答一句话。

他皱眉："刚才还好好的，这是怎么了？"但我还是没有理他。

良久，他叹一口气："肚子饿了就闹别扭？晚饭吃了吗？"结果他自始至终就觉得我是肚子饿了在闹别扭，我深吸一口气，转过头狠狠瞪他一眼："老子不饿！不吃！"

他开食盒的手顿了一下："什么？"

我正想气势汹汹地再重复一遍，嘴里突然被塞进一只个头顶大的饺子，他眯着眼睛看我："刚才说什么？再说一遍。"

我被饺子呛住，心有余力不足，手忙脚乱要把嘴里的东西吐出来。他凉凉地说："敢吐出来试试。"我本来想试试就试试，结果背后突然什么鸟呱地叫了一声，惊得一下子把半口饺子全吞了下去，要张嘴说话，竹筷里又一只皮薄肉厚的饺子凑到嘴边："街上给你买的翡翠水晶虾仁饺，喏，再吃一个。"

虽然刚才出了丑，但气势上绝不能被比下去，我恨恨地将头偏向一边："不吃，说了不吃就不吃，你烦人不烦人！"

竹筷在空中停了半晌，他收起筷子，声音漠然："好，我拿给旁人吃。"

我还在想刚才那句话是不是说得太过了，听到他的反应又觉得气得不行，本想克制住，实在克制不住，觉得眼眶都红了，想装出冷漠表情，没有那么好的演技，只能勉强压抑住哭腔："拿给旁人吃吧，拿给那个连星吃，她一定很感激你，吃完了饺子会给你弹好听的曲子。反正我什么都不会，勉强弹个琴还会要人的命。"

我有点说不下去，袖子里就是给他买的簪子，花了那么大力气买的簪子，他却和别的姑娘花前月下眉来眼去。他还以为我生气就是肚子饿了。他不知道，我这一生都不会再知道肚子饿是什么感觉。

慕言定定看着我，目光前所未有，若有所思得仿佛深潭落了月色，半晌，突然轻声道："阿拂你……"

我打断他的话："我长得不好看，又老是惹麻烦。反正十三月的事已经解决了，你明天就走，去找那个连星，别再跟着我。"

话说出来自己都吓一跳，不禁抖了抖。我怎么会想赶他走，而且我也没有惹过什么麻烦，话赶话说出这样的话，刺得自己心肝脾肺脏一阵一阵地疼，仿佛它也会跟着不好受，我本来应该什么疼都感受不到的。

他反而笑起来，不紧不慢地打开扇子："既然赶我走，那就把欠我的工钱先结清。"

我觉得糊涂："什么时候欠你工钱了？"

他撑着头："璧山重逢后，我做了你十来天的护卫，不会这么快就记不住了吧？"

我恼火得不行："我又没有说要雇你，是你自己跟上来的啊！"

他没说话，摇了摇扇子。

我觉得可气，最主要的是没想到他这样可气。记起今天用画换簪子再贿赂老鸨还剩下九十多个金铢，一边从袖子里摸钱袋一边继续生气。还没等我掏出钱袋，他扇子一合，凉凉地说："一天一百金铢，就算半个月吧，那就是一千五百金铢，把工钱结清了，我明天就上路，再不会烦着你。"

我掏钱袋的手停在袖笼中，不可思议地看着他："怎么这么贵？"

他闲闲地看我一眼，闲闲地重新摇扇子，闲闲地开口："我这个人，和一般的护卫比起来也没有什么别的特色，就是一个字，贵。"

我觉得，我要被他气哭了。

这一晚是以我把钱袋扔在慕言脑袋上告终。

但第二天早上就发现应该去找慕言道歉。回头想想，他会觉得我不讲道理也很自然，他从不知道我喜欢他，就好比官府里某某跟着头儿出公差，该走路的时候非要骑马，还非要骑同一匹马，又叽叽歪歪说不出所以然。这个头儿除了觉得他有神经病以外，可能也不会产生什么别的想法。

我从前祈求不过是慕言一个回头，抱着这样微薄的希望盼得都忘了时光，终于他离我越来越近，越来越近，却丝毫不能让人满足，想要的反而更多了。

一直不愿意去想，终于能够静下心来好好想想，才发现这样太可怕。我对慕言的感情其实并不像自己想象的那样纯粹，这样下去一定会完蛋，说不定真是应该考虑一下。我仰头闭上眼睛，考虑一下主动离开他了。

但尚未完全理清头绪，房门被人一把推开。我呆呆看着门口面无表情的慕言，条件反射道："早……"没把这个招呼打完，不知道是太紧张还是怎么，牙齿咬了舌头……

印象中慕言一直风雅又悠闲，很少见到他一脸严肃，同时还做了不经人同意就推门这种失礼的事。一幅卷轴在书桌上摊开，我探头一看，再次咬了自己的舌头，正是昨天在古玩斋画的那幅画。

抬眼望出窗外，竹篱上缠绕的槭叶茑萝开出丽色的花。慕言坐在桌案旁，手臂漫不经心搭着桌沿，目光莫测，映在我身上就有点迷惑，良久，笑了一声，低头看着书案上那幅山水图，轻声道："画得不错，不过往后，不要再画了。"

我觉得奇怪："你是怎么拿到这幅画的？"

他不置可否："你倒是赚了不少钱。这隋远城能有多大，你怎么就突然这么有钱了，随便打探打探，总能打探得到的。"

我没再说话，想起还在和他赌气，觉得要把表情调整一下，又想到刚刚决定和他道歉，就不知道该作什么表情了。

他却是不放心似的，手指敲着桌沿，一脸严肃地又重复一次："阿拂，记住，以后不能再画了。"

我有点懵懂："为什么？"

他没回答我，转移话题地继续瞧着手上的山水图："听老板说这个值四百金铢，那就先抵给我吧。这么算起来，你还欠我一千金铢。唔，要继续努力。"

我哑口无言："你不能这么不讲道理。"

他唇角带笑揶揄我："跟小孩子讲什么道理，你不是从来不讲道理？"不等我反应，已经拿笔蘸了墨，"画是好画，可惜没什么题词，想要个什么样的题词？"

日光斜斜照进来，我看着光晕中的他，突然想起那一夜繁星漫天，我被毒蛇咬了，不知如何自救，又懵懂，他将我抱起来，衣间有清冷梅香，子夜悠长。

他低低催促我："阿拂？"

我静静看着他："对花对酒，落梅成愁，十里长亭水悠悠。"

本来以为这样就算和好了，这样和好其实也很不错，结果慕言刚题完字，老大夫就找过来，身后还跟了个小姑娘，自称是谪仙楼服侍连星姑娘的丫鬟，奉姑娘之命请他过府一叙。

慕言收起画，随着小丫鬟出门，走到门口突然回头："我去去就回来。"

我本来是想忍一忍就算了，使劲儿地忍，再一次没有忍住："你去去就不要回来！"

小丫鬟在一旁捂着嘴偷乐。他却像遇到什么可笑的事情："又在闹什么脾气，我是去办正事，从前不是很——"他想了想，用了乖巧这个词，"这两日怎么动不动就发火？"

我想原来他已经开始嫌弃我了，果然刚才想的早点离开他是对的，心里却止不住委屈，闷闷将头转向一边。

而他在门口停留了一会儿，再没说什么，果断地就跟着那小丫鬟走了。我喜欢上的这个人，他其实一点都不在乎我，我以前觉得可以在他身边一直待下去，只要能看着他就觉得很欢喜，因为他不喜欢我，也不在我面前喜欢其他人。可现在这样，现在这样，我看着自己的手，这样真是一点意思都没有。

在桌上趴了一会儿，觉得真是个伤感时刻，努力回想一些高兴的事情让自己不要那么难受，半个时辰之后总算好过一点。

慕言有慕言的生活，我有我的，他的生活在别处，而我的应该是和君玮一处，想着就觉得是不是该去找君玮他们了，一抬眼却吓了一大跳，捂着胸口很久，半天才能和来人正常打招呼："莺哥姑娘，别来无恙。"

从她走后，我就没想过会再相遇这个问题，不知道她主动找上门来是为了什么，只是看着同初见的那个紫衣女子很不同，那时她眼中有光，此刻却什么都没有。

她恍若未闻地看着我，也不知过了多久，缓缓道："我听说圣人不妄言，我见到了一个圣人，他告诉我一些事，我却不能相信那些是真的。他说，你是唯一能帮我的人，用你的幻术可以看到世人不能看到的东西，我想知道的你都能帮我看到，他让我来找你。"

窗外有阳光刺进来，我想到什么，但不知她此刻所求是不是我心中所想，顿了一会儿，撑头问她："你想要知道什么呢？"

她唇动了动："我想知道我夫君，"话未完声已哽咽，只是很快压住了，"想知道他为什么放开我，如今，他又在哪里。"

除了编织幻境，华胥引是有这样的功能，在第三人不在场的情况下看到他的某些过去。但必须要有这个人特别心爱的一个东西为媒，以我的血为引，这样做出一张专门的瑶琴，弹奏什么曲子倒是无所谓。

不过即使这么大费周折，看到的过去也不过是那个人的神思和媒介有联系时的过去罢了。就好比我想看到慕言的过去，选了他的琴来做媒，放在我的血里浸两个时辰，在一个闭合的空间里用这张琴随便弹点儿什么，这空间中就能出现当时他和这张琴相遇、相知、相伴、相随……的情景，但除了这些，也不能知道得更多。

而且这样做极费精神，又不像华胥幻境能够帮助鲛珠修炼，只是单纯消耗鲛珠法力而已，做一次消耗的法力……换算成我的寿命差不多就是一年多两年。

　　偶尔八卦可以长精神，为了八卦连折寿都不管了是长精神病。我终归不是圣人，不能体谅她心中所苦，只觉得世人皆苦我也苦，这件事着实不好帮忙，打算用恐吓的办法劝退，组织了会儿语言，对她道："你想要我用幻术帮你，我不知道这算不算帮你，我的幻术能做到的，就是你把你的身体献祭给我，我用你的骨头打出一把古琴，以这把古琴奏出重现你夫君过去的幕景。如你所知，幕景中我能看到一切，但你却不能看到了。假如你的夫君还活在这世上，我可以把用你骨头做成的这把琴送给他；假如他不在这世上了，我就将你送去同他合葬。如果这样你也愿意，那我帮你。"

　　她原本就苍白的脸色更加苍白，浓黑的眸子里全无神色，有谁愿意用性命去换一个不能知道结果的结果。我起身道："就不送姑娘了，我……"

　　话未说完，被她轻轻打断："我愿意。"

　　我抬起头："你说什么？"

　　她手抚着额头，嗓音冷冷的，强作平静，还是听得出来有压抑的颤抖："最近，很多时候都在想，我啊，就像是一棵树，拼命把自己从土里拔出来，想去找另一棵树，可怎么也找不到，又不晓得怎么再将自己种回去，能够感觉树根已经开始枯萎，慢慢枯竭直到叶子，说不定就要死了。你不知道这种一点一点枯死的感受。我从前也不知道。"

　　她顿了一会儿，渐渐平静下来，"假如真能做成一张琴，那就太好了，总比就这样干枯而死的好，还能和他在一起，也不用再这样，再这样什么都不知道地到处找他。"

　　这还是我第一次听到莺哥说这么长一段话，比她说过的任何一句

话都要轻松，都要沉重。我沉默地看着她，半晌，道："我和你开玩笑的。你的头发很长，很漂亮，我不要你的骨头，把头发给我就行了，用它来做弦，也能制一张我想要的琴。"

我不是同情她，只是想到假如有一天我同慕言走散，而临死之前我要再见他一面，今日我积下一点善德，希望来日也有人能帮帮我。想到这里的时候，完全没有记起前一刻还在为他的不在乎而伤心难过。

所需是一间密室、一张无弦琴、一只盆、一把刀。

两个时辰后，我将莺哥的头发从盛了半碗血的小盆子里捞出来，像捞一把挂面，摊开在手中，又似一匹用来裁剪嫁衣的红缎子。

血珠细密地附在发丝上，任凭又捏又挠也未落下半分，很容易就搓成七股琴弦，安在枫木做的琴架子上。红色的弦丝在灯影下泛出冰冷光泽，我闻不到任何味道，但想象这四面都围上黑布的斗室中应是每一寸空气都充满血腥。

不过什么叫密室，不是把门和窗户关死再围一块黑布就可以，充其量只能说是个小黑屋。我和莺哥商量不能这么干，因要密室的主要原因在于我不能被打扰，一旦起弦，中途被打断就前功尽弃，重来谈何容易，除非把所有器具重新准备一次。而问题在于，即使我可以马上再放半碗血，也要给莺哥一点时间让她长头发。

况且这毕竟不同于华胥幻境，不能织出游离于尘世的虚空，只要进到屋子，任何人都能看到我所奏出的幕景。

你想在这样一个黄昏，城中医馆某处荒凉屋子传出诡异琴声，推门一看屋里居然在下雪，半空还或坐或站一大堆人讨论今天天气如何年底朝廷是不是会发双薪……这也就罢了，隔壁居然还是个卖棺材的，真是好难不把人吓死。

我们正在发愁，房门却被轻轻叩了两声，从敲门风格就能判断是谁。我磨磨蹭蹭地去开门，走到一半突然想到问题其实可以解决了，加快脚步一把拉开门闩，慕言就站在门口，目光放在我身后，打量了一圈收回来看着我："这是在做什么？"我瞟了他一眼，咬着唇角别开脸："给你个机会戴罪立功要不要？"他坦然摇头："不要。"我噎了噎，急得瞪他："主动和你冰释前嫌了你还不要，必须要！"他叹口气："好吧，我要。"

有慕言守着，小黑屋就不是寻常小黑屋，升华成密室了，我很放心。

起弦之时，看到莺哥震了一下，发丝做成的琴弦寄托了容垣关于她的大部分神识，那些过往她不仅可以看到，还会知道容垣心中是如何想，当然，奏出这幕景的我也能知道。

半空中，渐渐出现的是郑宫里昭宁西殿那一夜新婚，殿外梨花飘雪，瘦樱依约，从前我们看到故事的一面，却不知另一面。直到这一刻，它终于现出一个清晰的轮廓，露出要逐渐明朗的模样，而所能看到的容垣的故事，一切始于他第一眼见到莺哥。

第一眼见到莺哥，容垣并不知道喜床旁弯腰逗弄雪豹的紫衣女子不是他要娶的姑娘。这没什么可说，他对锦雀的印象其实寡淡，猎场上也没怎么细看，只记得她将受伤的小雪豹递给自己时手在发抖。修长细白的手，没有刀剑磨出的硬茧，不会是处心积虑的刺客。

遑论莺哥和锦雀长了一副面孔，就算样貌完全不同，他也未必分辨得出。之所以要娶锦雀，不过是隐世的王太后听信巫祝的进言，认为围猎那日他会遇到一个命中注定要有所牵扯的姑娘。

而直到新婚这一夜，隔着半个昭宁西殿，他才第一次认真打量这个将要成为他如夫人的女子。她有一双细长的眉，浓黑的眸子，烛光下眼波荡漾得温软，却隐隐带着股冷意，如同晚宴上那道冰凌做的酥山，浇在外头的桂花酸梅汤让整道菜看上去热气腾腾，刨开来却是冰冻三尺。

他握住她的手，看到她眼中一闪即逝的慌乱，想她心中必然害怕，可即便害怕也一副镇定的模样，身体僵硬着是抗拒的意思，手上却没有半分挣扎，强装得温柔顺从，却不知真正的温柔顺从不是镇定接受，是将所有的不安害怕都表现给眼前的人晓得。

身为一国之君，他见过的女子虽不多也不少，还从未遇到过这样由表及里产生巨大矛盾的姑娘，吻上她的唇时，也是大大地睁着双眼。那是双漂亮的眼睛，专注地看着他时尤其的黑。然后，他看见这双眼睛里慢慢浮起一层水雾。他离开她，手指却像是有意识地抚上她的眼，触到一丝水泽。她哭了。

她哭了。这很好。他有一刹那觉得自己喜欢看到她这个模样，就像失掉油彩遮掩的戏子的脸，那些悲欢离合真切地表露出来。

她眼角红得厉害，像是受了天大的委屈，神色紧绷却故作从容，模样很可怜。他打算放过她。但赦免侍寝的话刚落，她已衣衫半解地跪坐在他身上。

在这种事情上，他从没居过下风，本能想起身拿回主动权，顾及压在身上的是个手无缚鸡之力的弱女子，力气小了很多，可也足够颠倒位置将她压在身下。但事实是，他没有起得来，却能感受到紧紧贴住自己的这个身体在怎样颤抖。他想，她一定很紧张，紧张得没有发现自己一个弱质女流竟爆发出这么大的力气。

她的头发真长，手上没有刀茧，也没有其他什么茧，连他后宫里那出身正统贵族的七位夫人也比不得。可除非新生的幼儿，谁还能有这样毫无瑕疵浑然天成的一双手，何况，听说她在容浔府上时很喜欢做家务。

她的头发拂得他耳畔微痒，听到她在他耳边说："总有一日要与陛下如此，那晚一日不如早一日，陛下说是不是？"他想，这姑娘真是脆弱又坚强，隐忍又莽撞。

密探不是白养着玩儿，这件事到底如何很快就弄明白。结果如人所料，原来锦雀不是锦雀，是莺哥，杀手十三月。他想起自己的侄儿，做事最细致稳重，怎么会不晓得纸包不住火。

拼着欺君之罪也不愿将真正的锦雀送进来，必然是心中至爱。自古以来，圣明的君王们最忌讳和臣下抢两样东西，一样是财富，一样是女人。

如果臣下不幸是断袖，还不能抢男人。他漫不经心从书卷中抬头，扫了眼跪在地上的侍卫："今日，孤什么也没有听到。"年轻的侍卫老实地埋了头："陛下说的是，属下今日什么也没有禀报。"他点点头，示意他下去，却在小侍卫退到门口时又叫住他："你刚才说，容浔是怎么除掉她身上做杀手时留下的那些疤痕的？"

小侍卫顿了顿，面露不忍："换皮。"手中的茶水不小心洒上书卷，他低头看到红色的批注被水渍润开，想，那时候，她一定很疼。

这一夜，批完案前累积的文书，已近三更。他没什么睡意，沿着裕景园散步，不知怎的逛到她住的昭宁殿。偌大一个东殿杳无人迹，显得冷清，西殿殿门前种了两株樱树，一个小内监窝在树下打盹。

殿中微有灯影，他缓缓走过去，在五步外停住。惊醒的小内监慌忙要唱喊，被他抬手止住。那个角度，已能透过未关的雕花窗看到屋中情景。紫衣的女子屈膝坐在一盏燃得小小的竹木灯下，手中半举了只孔雀毛花毽子，对着灯一边旋转一边好奇地打量。

这样的毽子，哪个女孩子年少时没有过几只，即便不是用孔雀毛扎的，取乐方式总是一样，没什么可稀奇的。可她握着那毽子，仿佛它是多么罕见又珍贵的东西，静静看了半响，猛地将它抛高，衣袖将灯苗拂得一晃，毽子落下时已起身，提高了及地的裙子将腿轻轻一抬，五颜六色的孔雀毛荡起一个由低到高的弧线，稳稳地直要飞上房梁，她没什么表情的侧脸忽然扬出一抹笑，乍看竟有些天真。

半空中的孔雀毛花毽子慢悠悠落在她膝头，被柔柔一踢，又重新踢到半空，她转身欲背对着以脚后跟接住，可啪的一声，下坠的毽子竟落歪了。他看她讶然回头，睁大眼睛紧紧瞪着地上，表情严肃得让人啼笑皆非，瞪了一会儿，动唇唤了侍女。他耳力极好，隐在樱树的阴影下，听她冷声吩咐："这个东西，扔了吧。"

侍女愣怔道："扔了？夫人是说，不要了？"她转身迈进内室，"扔了，不喜欢我的东西，我也不喜欢它。"

殿中竹木灯很快熄灭，耳边浮现出白日里听到莺哥的过去，她怎样被养大，怎样学会杀人，怎样踩着刀锋活到二十岁，怎样得来身上的伤，怎样被容浔放弃，又是怎样被当作妹妹的替身送进他的王宫里。

他不大能分辨女子的美貌，却觉得方才微灯下游走翩飞得似只紫蝶的莺哥，容貌丽得惊人。淡淡嘱咐小内监几句，他转身沿着原路返回，一路秋风淡漠、海棠花事了。他想，放弃掉她的容浔真傻，可他放弃掉她，将她送进王宫来，却成全了自己，这真是缘分。

他对她不是一见钟情，从怜悯到喜欢，用了三天时间爱上她，大约会有人觉得三天太短。但只有真正懂得的人才明白，对注定要爱上的那个人而言，一眼都嫌太长，何况三天，何况这么多眼。他很心疼她。

此后种种，便如早先所见莺哥的那些梦境。容垣问她可知晓什么是君王之爱，她回答他君王之爱，爱在天下，雨露均洒，泽被苍生。他却不能认同，想那怎能算是爱，只不过是君王天生该对百姓尽的职责罢了。

那些只懂得所谓大爱的君主，他同他们不一样。高处不胜寒，他看到她，便想到应该要有人同他做伴，那个位置三个人太拥挤，一个人太孤单。他只想要唯一的那个人，那个人脆弱又坚强，隐忍又莽撞，曾经是个杀手，误打误撞嫁给了他。

他知道她想离开，千方百计将她留下来，除了自由，她想要的什么他都能给。他也知道，她心上结了层厚厚的冰壳，即便给她自由，她也不能快乐，那些严酷纠结的过往，让她连该怎样真心地哭出来、笑出来都不晓得。

这个人，他想要好好地珍惜她。她应该快乐无忧，像个天真不谙世事的小姑娘，让他放在手心里，拢起手指小心翼翼对待。

可他算好一切，唯独漏掉命运。在计划中她应是与他长相守，他会保护她，就像在乱世里保护他脚下的每一寸国土，而百年之后他们要躺在同一具棺椁里，即使在漆黑的陵寝，彼此也不会寂寞。

但那一日命运降临，让他看到自己的一生其实并不如想象中那么长，说什么百年之后，全是痴妄。

容垣非是足月而生，幼时曾百病缠身。老郑侯请来当世名医，大多估言小公子若是细心调理，约莫能活过十八岁，若是想活得更长久，只有向上天请寿。

老郑侯没了办法，想着死马当活马医，干脆送他去学刀，妄图以此强身健体。也是机缘巧合，在修习刀术的师父那儿，让他遇到了一向神龙见尾不见首的药圣百里越，不知用什么办法，竟治好了自小纠缠他的病根。从此，整个郑王室将百里越奉为上宾。

自老郑侯薨逝，他与百里越八年未见，再见时是莺哥被封为紫月夫人这年年底。忘年至交多年重逢，面色凝重的百里越第一句话却是："陛下近一年来，可曾中过什么毒？"

到这一步，他才晓得去年除夕夜制伏那只发狂的雪豹时所受的毒虽不是什么大毒，可唯独对他是致命的。百里越当年为治他的病，用了许多毒物炼药，万物相生相克，服了那些药，这一生便绝不能再碰

三样东西——子葵云英、霜暮菊、冬惑草。传说九州大陆冬惑草早已绝迹，天下人不知其形为何、性为何，可那雪豹爪子上所淬的毒药里，却含了不少冬惑草。

御锦园寒意泠泠，溶月宫在枯树掩映中露出一个翘角。他望着那个方向，半晌，缓缓问面前的百里越："孤还能活多久？"

"大约再过三个月，陛下会开始呕血，一年后……"

"一年后？"

"……呕血而亡。"

他脸色发白，声音却仍是平静："连先生也没有办法了吗？"

百里越是药圣，不是神。冬惑草溶进他体内近一年，要化解已无可能。他第一次自欺欺人，希望从未出过错的百里这次能出错，他并未中什么夏惑冬惑，只是一场虚惊。

可直到三月后，在批阅文书时毫无征兆地呕出一口血，他才相信这所谓的命运。他性子偏冷，从懂事起喜怒就不形于色，这一夜却发了天大的脾气，将书房砸得干干净净。但事已至此，所有一切不能不从头计较。

十日后，借欺君之名，他将莺哥锁进庭华山思过，次日即拟定讣文昭告天下，称紫月夫人病逝。百里越与他对弈，执起一枚白子，道："到最后那一日，陛下想起今日，必定后悔。"

可没有比这更好的办法了，他想，待他归天后，她只有两条路可走，一条是殉葬，另一条是孤老深宫。假如让她选择，依她的性子必定一刀自刎在自己床前，她看上去那么复杂，却实在是简单，爱上一个人便是誓死相随，而假如那一夜他见她时妄心不起，她是否就能活得更好一些？

他锁她十年，庭华山与世隔绝，十年之后，她会忘了他，即便青春不在，也可以自由地过她从前想过的生活。而该将郑国交到何人手中，怎样交到那人手中，他自有斟酌。

不几日，宫中传出红珠夫人有孕的消息，说是由药圣百里越亲自诊脉，诊出是个男婴。

红珠夫人有孕是真的，却不是他的。他已两年多不曾见过红珠，那孩子是她同侍卫私通所得。由百里越诊脉是真的，他亲自带着药圣前去芳竹苑，红珠跪在地上吓得发抖，那侍卫被活生生处死在她眼前。

传闻中前两句全是真的，但诊出是个男婴却是漫天胡扯，纵然百里越医术通天，也绝无可能搞清楚一个未成形的胎儿到底是男是女，但因是神医金口玉言，大家只好深信不疑。而这就足够了。他只是要让朝野上下都晓得，他将要有一个继承人，待他身死后，即郑侯位的将不再是容浔。特别是要让容浔晓得。

百里越斟酌道："这本是你们郑国的事，同我毫不相干，但你既然早已打算要将王位传给容浔了，怎么又安排这么一出逼着他来篡位夺宫？"他端起石桌上的茶盏，容色淡淡："倘若孤能长命百岁，又倘若紫月能诞下孤的子嗣，你以为，容浔会忍到几时来反孤？容浔有治国之才，却野心勃勃，养着他，如同养一头猛虎，孤以为有足够时日磨掉他的利牙，如今，"他眉心微皱，嫌烫地轻哼了一声，将茶盏重放回石桌，"孤将王位传给他，难不成，还要将紫月也送回给他？"

他耍了心机，他知道容浔对莺哥有情，十年后的事他已不能见到，可他知道，只要容浔今日反他逼宫，和莺哥便再无可能。

百里越讶然："你不想让紫月夫人殉葬，想让她活下去，就该想到终有一日她会另嫁他人。"他淡淡看着天边："谁都可以，容浔不行。"

最后一次见到莺哥，是星夜里一处荒凉街市。听到她闯下庭华山的消息，他心中担忧，不知她有没有受伤，称病取消了好几日朝会，领着护卫匆匆出宫。也不知赶了多久的路，终于见到她。这个女孩子伤痕累累站在自己面前，提着刀，脸色苍白，裙角处渗出或深或浅的血痕。

他想，他应该不顾一切将她搂进怀中，可，怎么能呢？她伤心欲绝地质问他："我怎么就相信你了呢，你们这样的贵族，哪里能懂得人心的可贵。"

他看到她微乱的发鬓，泪水从蒙着双眼的手底溢出，顺着脸颊大滴大滴落下，下唇被咬出深深齿印。他想说些什么，喉头一甜，半口血含在口中。她的伤心，就是最能对付自己的利器。可他还是将她送了回去。

看着她的背影在月光下渐行渐远，他想唤她的名字，莺哥，这名字在心中千回百转，只是一次也没能当着她的面唤出。

"莺哥。"他低低道。可她已走出老远。

不多久，容浔果然逼宫。这一场宫变发生得快速又安静，因他原本就没想过抵抗。就如传闻所言，容浔压抑着怒色将随身佩剑牢牢架在他脖子上，沙哑着问他："我将她好好放在你手中，你为什么将她打碎了？"

而他微微抬头，淡淡地："即便是碎，紫月她也是碎在孤的怀中。"容浔的剑颤了颤，贴着他颈项划出一道细微血口。他却浑不在意："这许多年，你做得最令孤满意的事，一件是两年前将紫月送给孤，另一件，就是今日逼宫。"

冷清双眼浮出揶揄之色，"但孤知道，你这一生，最后悔之事，便是将紫月送进了孤的王宫。"

容浔看着他，良久，整个人都像是颓败下来，半晌，苦涩道："她走时是什么样，可受过什么苦？"

他淡淡地回他："即便痛苦，她这一生，又有什么是忍不得的。"

此后，容垣禅位，容浔即位。禅位后，容垣避往东山行宫休养，正是五月，樱花凋零。一切都被写入史书，属于郑景侯的时代就这样过去了，徒留给世人两页薄纸。

次年，樱花开遍整个东山时，百里越口中的最后一日终于来临。我能知道，是因随着手指起伏，琴弦上的血正滴答滴答往下掉，说明奏出的这场幕景已行将结束。

眼前是冒着腾腾热气的碧色温泉，温泉后种了大片樱林。冬惑草似乎没有如何折磨容垣，至少他看上去气色不错，只是身形消瘦。但我很快就否定了这种想法，这是最后一日，他面上那些不寻常的神采，想来是回光返照。

落日余光在天边扯出一块金红的绸子，笼得温泉后的樱林璀璨如同赤雪。他淡淡吩咐身后的小童子："今日好多了，去拿两本书，我想泡会儿温泉。"

小童子噔噔朝书房跑。他和衣迈进池水，靠着池壁时，从浸湿的衣袖里取出一枚小巧的骨骰。莺哥送给他的那枚骨骰，原以为被捏碎了，化在那座荒凉街市的夜风里，在这个傍晚，却静静躺在他手中。

他认真地看着它，漆黑眼眸似汤汤春水，缱绻温柔，良久，将它紧紧握住，闭上眼睛笑了笑。近旁不知什么鸟兀地哀叫一声，温泉后的樱林里猛地燎起山火，火势如猛虎急速蔓延，顷刻漫天，林木噼啪作响，红色的樱花在火中翩翩起舞，如一只只涅槃的红蝶。火光映得容垣的脸别样俊美，可滔滔热浪里，他的眼睛再没有睁开。

莺哥扑过去时，容垣的身体正沿着池壁一点一点滑入水中。她浑身都在发抖，要抱住他不让他掉下去，却忘了这山、这火、这樱花、这池水，包括容垣，皆是我拿七弦琴奏出的虚幻幕景。

身后火势汹涌猛烈，仿佛要将半山红樱燃成劫灰。她双手一遍遍穿过他的身体，再如何轻柔的动作，却连一个拥抱都已是不能，可还是不肯放弃，一遍又一遍地伸手去抱他，徒劳无功地眼见着他一点一

点滑入池水。

如墨的眉、紧闭的眼、高挺的鼻梁、薄凉的唇，渐渐都隐在水下，池水归于静谧，只剩漫天山火。而她静静看着眼前平静的池水，半晌，颤抖着肩膀，像一头孤寂的小兽，痛苦地哭出声来。

幕景凭空消逝，容垣他确实死了。

这就是故事的全部，莺哥多多少少猜到，却一直不愿相信。

回头看这一段风月，似一场凋零繁花，容垣的一生太短，执着地用自己的方式来保护她，便是他口中的君王之爱。

在这样的乱世里，看够了庸臣昏主，东陆大地上有多少王宫，王宫里埋葬多少红颜女子的青春枯骨，却让我看到这样一段情，从黑暗的宫室里长出来，像茫茫夜色里开出的唯一一朵花，纵然被命运的铁蹄狠狠践踏，也顽强地长出自己的根芽。

莺哥在幕景消逝时便昏了过去，慕言将她扶到一旁矮榻上，转身居高临下看着我。

弦上滴落的血珠将枫木琴染得通红，我翻过手来看自己的手指，才发现指尖沾了斑斑血迹。就像那一日从城墙跳下，感觉生命一寸一寸流逝，想要站起来，却没有力气。这是我第一次如此清晰地认识到，没有鲛珠给予的寿命，这只是一具残败的尸体。

慕言的声音在头顶响起，听不出什么情绪："这一大摊血，怎么弄的？"

这么仰着头看他有点吃力，我动动唇，示意他蹲下来。

他跪坐下来与我平视，手指蘸了点儿琴上的血渍，放在鼻端闻了闻，脸色顿时难看到极点："是你的，还是莺哥的？"

我摇摇头，认真道："是鸡血。"看他没有反应，补充道，"启动这个仪式需要祭天，所以，我们杀了一只鸡。"

他眉心皱起来："别胡闹，说实话。还是你希望我把你们两个一起送去大夫那里？"

我挣扎道："真的是鸡啊……"

他瞪着我："你们家养的鸡，血会是跟人血一个味道？"

我严肃道："因为，这是一只不同寻常的鸡……"话没说完，被他一把夺过手腕，袖子捞起来，手臂上包得严严实实的纱布暴露在天光之下。我抬头镇定看他："其实，这就是所谓的部位减肥法了，把这个纱布紧紧缠在想瘦的地方，通过刺激穴位……"他打断我的话："你再胡扯试试看。"

我低头嗫嚅："因为看你好像有点担心，想说你其实不用担心。这没什么，我血很多，而且伤口也不疼，我不想去大夫那里，我自己就包扎得很好。"

他抚着额头看我半晌，叹了口气："你真是，气得我头疼。"

身体已经能移动，我调整了一下坐姿，小声反驳："哪里有那么容易就头疼，说得好像从来没生过气一样。"

他皮笑肉不笑："我确实从来没生过气，只是偶尔动怒，让我动怒的人基本都没得到好下场，你是不是也想惹我动怒看看？"

我小心地看他一眼，伸出两只手放到他额头两侧，他愣道："干什么？"

"不要气了，生气多容易老啊，来，我给你按一下，还疼不？"

"……"

不知莺哥此后何去何从，但无论她作什么样的选择，已不是我们所能左右。想到她来找我时眼中毫无光彩的颓然和那些决绝的话，心中就有些发沉。恰在此时，一只小小的灰鸽子扑进刚推开的木窗棂，直撞进我手心。

这是君师父的传信鸽。我愣了愣，想不到这么快又有生意了。

展开素笺一看，忍不住对慕言扬了扬信纸："你说容浔正遍天下寻找能救活锦雀的名医，果然不错，这次居然找到了我师父。"

他正在收拾血迹斑斑的枫木琴，闻言抬头："哦？华胥引竟还有这等功用，能生死人肉白骨？"

我踌躇道："生死人肉白骨倒说不上，只是换换命罢了。"想想又补充道，"其他的人可救不活，只能救活因选择华胥幻境而在现实中失掉性命的人。前提是，还得有一个同她血脉相连的至亲之人愿意以命换命。"

他若有所思："所以，你师父来信，让你用莺哥姑娘的命去换锦雀姑娘的命？"

我将信笺收好，摇摇头："师父他压根儿不知道锦雀还有个姐姐活在世上，只是让我去走个过场，说是郑王都找到他跟前来了，实在不好意思推托。"

说完到处找笔墨："得给他回封信，明天就要出发去找小黄和君玮了，哪里有时间？锦雀本就一心求死，救活了又怎样，既然强求无益，何必苦苦强求，救活的那个人也未必会感激他什么。"

说到这里正找到矮榻附近，擦过莺哥身体时蓦地被一把握住手。我惊讶垂头："你醒了？"

她闭着眼睛，没有放开我，半晌，道："君姑娘若是能救舍妹，还请勉力一救。"

我看着她："你发什么傻？除非用你的命去换她的命，否则根本没可能把她救活。倘若你果真想这样痛快就放弃性命，那不如把这条命给我，我来为你织一个幻境，让你和容垣在幻境中长相厮守。"

她终于睁开眼睛，眸子浓黑，却无半点神采，大约这就是所谓的哀莫大于心死，恍眼看上去倒比我更像个死人。

良久，她像是终于反应过来我的话，侧头疑惑地看着我，眼睛里一片空茫："那又有什么用？都不是真的。"

我才想起来，她这个人一向较真，宁愿明明白白痛苦，也不愿稀里糊涂幸福，这段故事里，活得最清醒的就是她了。

而我无言以对。

她转回头看着房梁，声音毫无起伏："今年我二十六岁，觉得这一生很好、很长，没什么可留恋了。"顿了顿，又道，"只还有一个愿望，我死后，请让我和我夫君合葬。"

七月，蓼花红，木槿朝荣。

兜兜转转回到郑国。

施术之所定在四方城城东为举行祭礼而建的土台上。我想莺哥大约不愿见到容浔，以秘术一旦施行不能有任何生人打扰为名，将方圆五里清了场，只留慕言在土台下喝茶。

锦雀的棺椁在酉时初刻被抬上祭台。已近一月，寻常应是白骨的躯体却未有半点腐坏，只是脸色有点苍白，可看出容浔确实花了心思。

酉时末，莺哥最后一个到场，纱帽揭开，毫无表情的一张脸。我将含了血珠的茶水递给她："现在还可以反悔的。"她却一口就喝下去。我看了眼空空如也的茶杯，还是想要说服她，"这件事我真是没有把握。"

将几案上竖列的两张瑶琴指给她看："我得同时弹奏你们两人的华胥调，一个音也不能错，还得催动鲛珠牵引你的精神游丝……"她打断我的话："若失败了，会否对君姑娘造成什么反噬？"我摇摇头："那倒不会，就是你多半活不了，你妹妹也救不活。"她瞥了眼棺中的锦雀，目光淡淡的，"这也没什么，君姑娘，开始吧。"

站在土台上，四方城东西南北十二条街道尽收眼底，夕阳掩映下，房屋鳞次栉比，似镀了层金光，偶有几户升起袅袅炊烟，平凡世上也有平凡幸福。

琴音冷冷，土台上骤起狂风。躺在石祭台上的莺哥缓缓闭了双眼，缀在长裙上的紫纱随风飘飞，像一棵瑰丽的树，越长越大，渐渐将她笼起来。再见了，十三月。

我闭上眼，正欲凝神催动鲛珠，破空声来，睁眼时一柄古剑堪堪定上身前七弦琴。弦丝尽断，狂风立止。我怔了怔，抬眼望向前方的石祭台，看到紫衣男子挺得笔直的背影，柳絮纷扬，慢悠悠落下来，似裁剪了鹅毛碎。我抱着断掉的琴几步急走过去。男子正俯身揭开笼在莺哥脸上的轻纱，修长手指颤抖地抚上她的眉，声音却低沉平静："她是睡着了吗？"

我施了个礼，将紫纱重新盖好，边角都扎严实，又将袖子拉下来一点，好盖住她冰凉的手："两位夫人只能活一位，陛下想救月夫人，我便为陛下找来尚在人间的紫月夫人以命换命，紫月夫人不死，月夫人不能活。两位夫人到底保哪一位，陛下不妨再想想。"

我等着他回答，却未等到任何回答，因话毕时轻纱微动，莺哥已渐渐醒转，本以为她会再昏迷一些时间，那双杏子般的眼眸却缓缓睁开了。半晌，浓黑的眸子里突然升起千般华彩，她看着面前这个端整的紫衣男子，蓦然扑进他怀中，声音里带着小女孩的天真："我们终于能在一起了。"他愣了一下，抬手将她紧紧搂住，她把自己更深地埋进他怀中，"我们终于能在一起了，容垣。"他脸色瞬间煞白。

他一点一点将她拉离自己的怀抱，静静地看着她："我是谁？"

她眼角渐渐有些红，眼睛里也漫出一层水雾，目不转睛盯着他的脸，半晌，伸手搂住他的脖子，头埋进他肩膀，哽咽道："他们都说你死了，我不相信，如果你死了，我该怎么办呢？"

容浔的手僵硬地垂在身体两侧，良久，沙哑道："月娘……"

我淡淡道："别在意，她这样多半是疯了。换命之术最忌中途打扰，怕正是因此……若陛下仍想救月夫人，紫月夫人她这样，也是无碍的，只是要劳烦陛下再送我一张七弦琴了。"

他并未搭理我的话，半晌，苍白的容色浮出一丝苦笑："即便是疯了，终归，最后是我得到了她。"

我看着他："若是她清醒，第一件事怕就是为景侯殉情。"

柳絮漫天，似在祭台上下一场轻软无终的雪。他将她抱在怀中，向石级走去："那就让她永远不要清醒。"她的纱帽落在地上，风卷过来，似一只断翼的蝶。

在土台上站了好一会儿，我有点混乱，不知怎样做才算是好，现在好像也不错，大家都求仁得仁。

容垣想要的是莺哥活下去，她活下去了。容浔想要和莺哥在一起，他们在一起了。莺哥想要容垣，在她的意识里，也确实得到了。就像是一场华胥幻境，美好虚妄，各有所得。

走下土台，看到慕言正一派悠闲地煮他的功夫茶，我生气道："刚才你为什么不拦住容浔啊？"

他好整以暇地看着我："是我叫他来的，我为什么要拦住他？"

我瞪大眼睛。

他将煮好的茶递给我："每个人都应该有选择的机会，你说对吗？阿拂。"

我不知道对不对，只知道有多少人迷失在这虚妄的华胥幻境，自以为懂得爱的美好，要抓住这美好不容它错过，其实都是软弱。

人最宝贵的是什么？不是爱，是为爱活下去的勇气。可我遇到的这些人，没有一个人懂得。

不几日，我们离开四方城，听说锦雀被厚葬，这一月的良辰吉日，莺哥将同容浔大婚。得知这消息时并没有什么特别感想。而在第九日早上，却听说大婚当夜莺哥失踪，容浔将整个四方城翻过来也没找到。

慕言问我："你觉得她应该是去哪儿了？"

其时我正在给君玮写信，确定他所处的最终方位，争取早日顺利找到他和小黄，听到慕言提问，三心二意地回答："可能是突然清醒，去完成她的最后一个愿望了吧。"

"我死后，请让我和我夫君合葬。"我记得那时她是这么说的，这是她的最后一个愿望。

慕言沉默半晌，过来随手帮我磨了会儿墨。

当夜，一向风度翩翩的慕言难得模样颓唐地出现在我房中。夜风吹得窗棂咯咯作响，我一边伸手关窗户一边惊讶问他："搞成这样，你去哪儿了？"

他从袖中取出一块紫纱，笑了笑，轻描淡写道："在容垣的陵寝中捡到的。"

我顿住给他倒水的手，良久："莺哥她，是在容垣的墓中？"

他从我手中取过茶壶，自己给自己倒了一杯："更确切地说，是在容垣的棺椁中。"

我愣了愣，半晌，道："怪不得他们都找不到她。"

他笑笑："没有人敢去动景侯的陵寝，他们永远都不会找到她了。"顿了顿，又轻飘飘添了句，"除了我。"

我赞同地点头："对，除了你。"指着他的袖子，"但你好像受了伤。"

他面不改色将手缩回去："没有的事。"

我拉过他的手，把袖子挽上去给他涂药，发现他僵了一下，抬头瞟他一眼，有点讪讪地："我有时候是不是太任性了？"

他撑着额头看我，唇角含笑："不，这样刚刚好。"

"寻寻觅觅半生，最好的东西却在寻找中遗失，谁会像我傻到这个境地。月娘，我用半生无知，为你谱这一支诀别曲。"

他又听到她的声音，温软的决绝的，响在耳畔："杀了我，容浔。杀了我，我就自由了。"话尾处一声叹息，像冰凌中跳动的一簇火焰，不动声色灼伤人心。

他捂住胸口，不明白为什么会这样疼。同样的梦已做了无数次，却还是不能习惯。

有秘术士告诉他逃避噩梦的方法，但他没有用过，这是他知道的唯一再见她的方式。在以为她死去的那三年，他一次也没有梦到过她，而今她带着嫁衣失踪三月，在他坚信她还活在这世上的时日，她却夜夜入梦。

他其实已想到那个可能，只是拒绝去相信。若她果真已不在人世，她的魂魄夜夜归来，就算是要折磨他，也是应让他看到她的模样，而不是只给他一个虚无缥缈的声音。

每一个关于她的梦境，都不曾真正看到她的身影，那是他用来说服自己她还活着的唯一理由。说服自己相信这些不祥的梦只是太想她，而不是真正有什么不祥之事已经发生。

可今夜，却不同。

令人窒息的梦境中，他听到那个声音，本以为会像从前无数个夜晚，就那样被胸口的疼痛生生熬醒，但这一次不知为何，却并未醒来。

他看着自己的手，一条长长的刀痕，掌管命运的掌纹被拦腰斩断，姻缘线显出模糊的深痕。

一朵戒面花不知从何处飘来，落在他手心，云雾后谁唱起一支歌谣："山上雪皑皑，云间月皎洁，闻君有两意，故来相决绝……"

他愕然抬头，看到雪白的戒面花从天而降，摇曳不休，似落在野地的一场荒雨。而坠落的花雨中，那个紫色的身影正缓步行来，臂弯处搭了条曳地的朱色罗纱，细长的眉，浓黑的眸子，绯红的唇。地上的戒面花自远方的远方，一朵朵变得朱砂般艳丽，转眼她就来到身边。

他知道这是梦境，却忍不住伸手想要握住她，可她像没有看到。他的手穿过她身体，他惊愕地回头，她的背影已那么模糊。

脚下的戒面花像是铺就一条红毯，雾色浓重的远处，她走过的地方，悬在半空的宫灯一盏一盏点亮。他终于看到行道的尽头，"昭宁殿"三个镏金大字在宫灯的暗色中发出一点幽幽的光，殿前两株樱树繁花满枝，开出火一般浓烈的色彩。朱色的大门徐徐开启，显出院中高挂的大红灯笼和无处不在的大红喜字。

他想起来这一夜，应是她嫁给容垣。那时她的重要，他并不明白，拱手将她送到另一个男人怀中，那些类似疼痛的情绪，他以为只是不习惯。

对莺哥的情感太难描述，她是他亲手打造的一把刀，是最亲近的人。再没有谁像她那样，一切都是他所教导，一步一步，按照他的意愿长成他所期望的模样。

看着她褪去女子的青涩与天真，一日日变成冷血无情的杀手，有时他会怀念她从前单纯胆小的模样，但若是非要二者选一，他宁愿看到她是容家最好的一把刀，自己最得意的作品。

她的情意他不是不明白，可他不能爱上她，枕边人可以有很多，但是容家最好的刀只有一把，这锻造来得这样不易，他不能随意将她毁掉。

他已经开始打算，下一次，若下一次她扑进他的怀抱，他一定将她推开。他从未想过自己是那样意志不坚的人，当她的手臂圈住他的脖子，那甜蜜又清冷的月下香令他无从抗拒，总想着下一次，下一次一定……

锦雀就是在那样的时刻出现。和她一模一样的容貌，笑起来天真无害，就像十六岁前尚未成为杀手的她，瞪人的样子尤其像。

第一眼见到锦雀，比起惊讶来，他竟是为长久挣扎的情绪松了一口气。有些人可以爱上，有些人不能爱上，他看着紫阳花丛中皱着眉头的锦雀，告诉自己，这是一个安全的、可以爱上的女子。那时他没有想过，他见过那么多所谓天真安全的女子，为什么只有锦雀让他觉得可以爱上。

莺哥不明白，以为他是真的爱上锦雀，连他自己都那样以为。这是一场世间最彻底的移情，对莺哥的所有情感都尽数移植到锦雀身上，然后一次又一次告诉自己，眼前这个笑容天真的女孩子，才是自己真心想要珍惜的。

但看到莺哥强装的半是真心半是假意的笑，他却一日比一日烦乱，他总是能准确抓住她眼中一闪即逝的悲色。将一个女人从自己的感情世界尽数剔除，这会有多难？

他从来相信自己有一副硬心肠。他爱的人、要娶的人是锦雀，那是和她全然不同的女子，她的笑太假、性子太倔、心肠太狠、手段太毒辣，强迫自己眼中一日日只看到她那些不好的、不够甜美的地方，这日复一日的心理暗示，让他果然越来越讨厌她执刀的模样。

直至那一日，他亲手将她送进郑宫，送到别的男人手中。他从前那样压抑自己的情感，是因他珍惜她作为一把刀的价值，可时移事易，在发生了那么多事情之后，深入局中举步维艰的他已全然忘记，容家最好的一把刀并不是为了送人而生。

他以为自己更加珍惜锦雀，却已不记得最初的最初，他是为了什么而对锦雀青眼有加。

蓦然顿悟的那一日，是同锦雀的大婚前。

那日他前去清池居探望锦雀，却见她摊开的手心中几块白釉的碎瓷。听到他的脚步，她极慢地抬头，那张同莺哥一模一样的脸如纸般雪白，眼角却像流过泪的通红。

走近才看到，她握着瓷片的手指已被割出数道口子。他皱眉正要开口，她却惨淡一笑，将一块似杯底的厚瓷放在他面前："这是姐姐送你的生辰礼物。"话罢急步推门而出。他愣了愣，微微低头，目光投向那隐有碎纹的杯底，是一个不太正常的圆，却能清楚看到正中的刻字。

他的名字和生辰。他不知道伸出的手为何颤抖，触到那刻字的杯底，竟带得瓷片移了好几寸。他的二十四岁生辰，他记得那一日她千里迢迢自赵国赶回来，书房前却看到他怀中抱着她的妹妹，那时她脚边掉下一个黑色的布裹……每一个细节，他都记得那样清楚。

从前不能想也不愿想的那些事，一幕一幕全浮了上来，关于她，无论如何否认，他总是记得清楚，清楚到烦乱疼痛，所以他才那样不愿想起她。

可抬眼看这清池居，她从前居住的地方，竹木灯旁的兽腿桌是她置刀之处，书桌前的花梨木宫椅是她读书之处，屏风前的贵妃榻是她休憩之处，到处都是她的影子。

可如今，她已不在了。

他从不曾细想她之于他究竟是什么，那一刻却蓦然惶恐。也许自他捡到她，将她养到十六岁，她便成为他身体的一部分，像他的两只手，当她在他身边时，没有觉得有什么，可一旦意识到她已不在身旁，就像突然被砍掉手臂。

他紧紧握住那片瓷，锋利的缺角刺破他的手掌，血迹染上白釉，似特意点上的几朵红梅。像失掉所有力气，他扶着她时常坐的花梨木椅背。这里再不会出现她的身影，她带着凉意的、好听的笑声，还有那些停留在他身上的温软眼波，再也没有了。

而今在这荒唐的梦境里，她踏着朱红的戒面花一步一步迈进昭宁殿，吝于给他哪怕一眼。他想开口，想唤住她，甚至追到她，可就像被谁紧紧拽着扼住喉咙，无法动亦无法说话。

古雅的殿门前出现容垣月白常服的身影，他看到她提起裙子，飞快向他奔去，朱红的沙罗从她手臂滑落，被风吹得飘起来，昏黄的宫灯一盏一盏熄灭，他们紧紧相拥在绯色的红樱之下。大片喜色的红刺痛他的眼睛，他紧紧闭住双眼。耳边忽然听到一阵轻声的呼唤："陛下，陛下？"

他自梦中醒来，殿外是荒寒月色，宦侍点起一盏灯，孤独的烛焰在床帐上投下他的影子。清凉殿中，身下是容垣曾经躺过的龙床，他靠着床帏，抓住脑中一闪即逝的念头。这张龙床，他们是否也曾在其上紧紧相拥，就像他在梦中看到的那样？

　　熟悉的痛意和怒意袭上心头，这些东西五年来断断续续折磨自己。可一切都是他所促成，千百次的后悔也换不回一切从头再来，她的决绝他最明白。

　　已再没有什么理由能够用来自欺，三月前，当他自祭台带走发疯的莺哥，那个戴着面具的小姑娘告诉他，若是她清醒，要做的第一件事怕就是为景侯殉情。手撑住额头，他轻轻笑了一声："月娘，你果然已经不在了吧。"锦缎的被面散开一片湿意。

　　四更时分，有琴音自清凉殿缓缓响起。次日，平侯将寝居移出清凉殿，一把大锁将王殿封存。平侯在世的日子，这历代为郑王所居的王殿再也不曾开启。传说是平侯为一位故人留下的居所，若她的魂魄夜里归来，不至于找不到地方栖居。